商用OK!

どっちも作って2倍楽しい布こもの

yasumin

主婦と生活社

CONTENTS

はぎれで作る ポーチやケース

1,2 しかく底のラウンドファスナーポーチ p.3
3,4 耳付き巾着 p.4
5,6 スリット入りファスナーポーチ p.6
7,8 丸底のスカラップ巾着 p.8
9 お花のコースター p.10

暮らしの中の お役立ちアイテム

10,11 型紙のパーツが少ないボディバッグ p.12
12 L字ファスナーの財布ショルダー p.14
13 L字ファスナーの財布 p.14
14 保温保冷ランチバッグ p.16
15 保温保冷ペットボトルカバー p.16
16 保温保冷お重バッグ p.18
17 保温保冷スープジャーカバー p.18
18,19 まち付きお道具ポーチ p.20
20,21 楕円底のバニティポーチ p.22

一緒に持ちたい バッグとこもの

22 ファスナーポケット付き巾着バッグ p.24
23 ポケットティッシュケース付き ダブルファスナーポーチ p.24
24 巾着サコッシュ p.26
25 ポケットティッシュケース付き ファスナーポーチ p.26
26,28 持ち手がポケットの帆布バッグ p.28
27,29 一枚仕立てのファスナーポーチ p.28
30 一枚仕立ての2wayナイロンバッグ(大) p.30
31 ナイロン傘カバー(長傘用) p.31
32 一枚仕立ての2wayナイロンバッグ(小) p.32
33 ナイロン傘カバー(折りたたみ傘用) p.33
34 丸底のまんまる巾着バッグ p.34
35 丸底のまんまる巾着ポーチ p.35

HOW TO MAKE p.37
作り始める前に p.38

YouTube
布もの作家yasuminで
作り方動画配信中

しかく底のラウンドファスナーポーチ

口が大きく開くファスナーポーチ。リバティプリントと、長方形の底布の色合わせが楽しいデザインです。ブルー系の花柄とカラフルなアニマル柄を使い、底布はリバティプリントの柄の1色を使いました。いくつあっても便利です。

でき上がり…(1) 約縦10.5×横14cm、まち幅約5.5cm
(2) 約縦7.5×横19cm、まち幅約5cm

HOW TO MAKE p.40

1,2

30cm角より小さい
リバティプリントで作れる
ポーチやケースです。
お手持ちの生地で
作ってみてください。

はぎれで作るポーチやケース

使用したリバティプリント…
(1) Folk Tails (2) Champions Bouquet

STONEWALL KITCHEN
FARMHOUSE PANCAKE
AND WAFFLE MIX
SCOVILL

3,4

耳付き巾着

小さいリバティプリントをはぎ合わせた巾着ポーチ。両脇につけた耳のようなタブを引くと、力を入れなくてもラクに開くことができます。リネンの無地の色に合わせて、それぞれの柄布を選んでみました。プレゼントにもおすすめ。

でき上がり…(**3**)約縦22×横21㎝　(**4**)約縦16×横14㎝

HOW TO MAKE p.42

使用したリバティプリント…
(**3**) Betsy Berry、Mirabelle (Tana Check and Print)、Sleeping Rose、Cherry Ripe、Michelle、Jo Lee、Rossellie、Katie's
(**4**) Palmeira、Chive、Poppy&Daisy、Patrick Gordon、Capel、Folk Tails

5,6

Miel bio
toutes fleurs

スリット入りファスナーポーチ

右脇にスリットを入れたので中身が見やすく、キルト芯入りでふわふわのポーチ。前面と後ろ面にそれぞれ4種類、タブに2種類で、リバティプリントを10種類使いました。ピンク系とマスタード系を選び、濃い色柄を差し色にしています。

でき上がり…(**5**) 約縦13×横10cm、まち幅約6cm
(**6**) 約縦10×横8cm、まち幅約4cm

HOW TO MAKE p.44

使用したリバティプリント…
(**5**) Isabella、Edna、Currant、Sandra Spring、Strawberry Thief Spring、Katie and Millie、Juniper、Pepper
(**6**) Love Grandma Lyn、Katie's、Betsy Boo、Connie Evelyn、Myrtle、Composition、Jemma Rose、Evie Rose

SINCE 1902
ALVITA
Caffeine Free
SENNA LEAF
TEA BAGS
30 TEA BAGS
NET WT. 2 OZ. (57g)
VIN DE
Frantz
750 ml

7,8

丸底のスカラップ巾着

手描き風のスカラップが個性的で楽しげなデザイン。カーブは、ゆっくり一針一針縫い進めて。多少歪んでも大丈夫です。カーブ部分にていねいに切り込みを入れるのが、きれいに仕上げるための重要ポイントです。

でき上がり…(**7**)約底直径12×高さ16㎝
(**8**)約底直径10.5×高さ12㎝

HOW TO MAKE p.46

ROSEMARY
AND EXTRA VIRGIN
OLIVE OIL CRACKERS
Traditional Medicinals
Gypsy
Cold Care
Supplement Facts
Caffeine Free
Herbal Tea

使用したリバティプリント…(**7**) Sun Speckle　(**8**) Oscar

9

お花のコースター

カーブは、縫い目が少しずれても、かわいいお花の形に。
はぎれを色の系統ごとに選び、白地ベースや白い花柄も
入れて抜け感を出しました。刺しゅうの色がアクセント
になっています。何枚も作りたくなるかわいさです。

でき上がり…各約縦14×横14㎝

HOW TO MAKE p.67

使用したリバティプリント…
(上) Lindsy Garden、Jo Lee、Phoebe、Sleeping Rose
(左上) Dora、Sleeping Rose、Michelle、Besty Berry
(中) Queen's Gallery、Oscar、Archie、Mille Fleurs
(右) Dora、 Patrick Gordon、 Wiltshire、 Sleeping Rose
(左下) Jo Lee、Manhattan、Betsy Boo、Nellie
(右下) Fergus、Jonathan、Pride And Bloom、Willow Walk

暮らしの中のお役立ちアイテム

お散歩やお買い物、
ランチタイムやお裁縫など
デイリーに使える
作品を集めました。
好きな生地で作ると
日々の満足度が上がりそう。

10

使用したリバティプリント…Connie Evelyn

C I
AM
LU
M SY

11

型紙のパーツが少ないボディバッグ

少ない型紙で立体的になるように型紙を工夫しました。初心者の方にもチャレンジしてほしいボディバッグです。 重ねて縫うところがあるのでミシン針は太い14号を使って。生地は、柄の上下がはっきりしていないものが適しています。

でき上がり…(**10**) 約縦14×横14㎝、まち幅約6.5㎝
(**11**) 約縦16×横18㎝、まち幅約9㎝

HOW TO MAKE p.48

12, 13

使用したリバティプリント…Archive Gingham

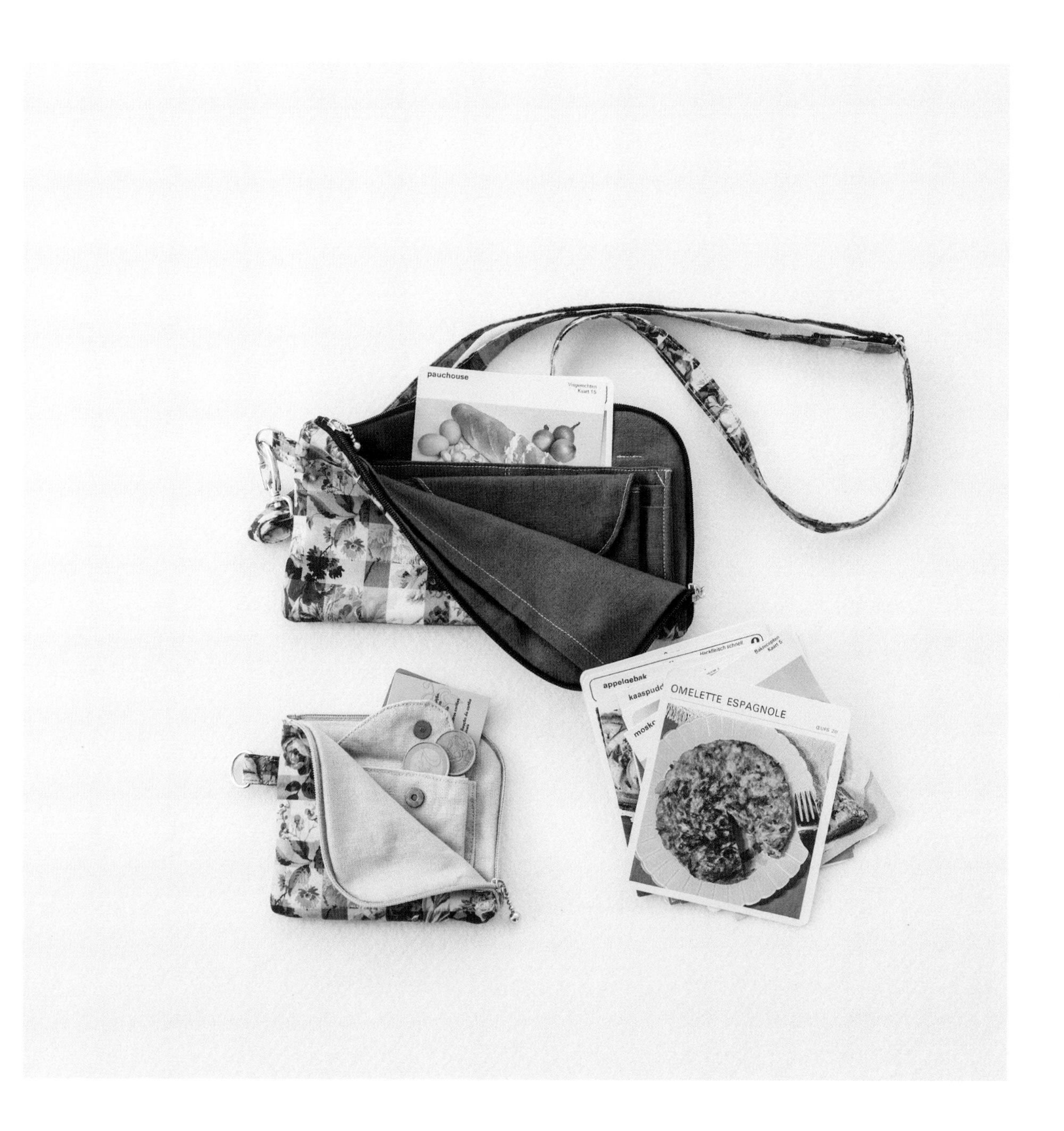
pauchouse
appelgebak
OMELETTE ESPAGNOLE

L字ファスナーの財布ショルダー＆財布

財布ショルダーはスマートフォンや通帳が入るサイズ。Dカンにストラップをつけて、ショルダーバッグとしても使えます。財布はコンパクトで、お札はたたんで入れるタイプ。両方ともコインポケットはフラップ付きにしました。

でき上がり…(**12**) 約縦12.5×横22.5㎝　(**13**) 約縦10.5×横12.5㎝

HOW TO MAKE　12/p.50, 13/p.52

14,15

使用したリバティプリント…Salters Forest

保温保冷ランチバッグ＆ペットボトルカバー

両方とも底が折りまちで、たたんで収納できます。簡単な作り方なので、初心者の方にもおすすめ。 裏布は柔らかくて洗える保温保冷シートを使っています。ランチバッグのブロック型スナップテープは、片押さえで縫ってください。

でき上がり…(**14**) 約縦16×横28㎝、まち幅約14㎝
(**15**) 約縦22×横13㎝、まち幅約8㎝

HOW TO MAKE 14/p.54, 15/p.56

保温保冷お重バッグ＆
スープジャーカバー

16ページのランチバッグとペットボトルカバーのサイズ違いです。お重バッグはキュッと結ぶ持ち手がポイントで、冷凍食品などのお買い物のときにも役立つ大きさ。巾着タイプのスープジャーカバーは、持ち手もあって使い勝手がいいです。

でき上がり…(**16**) 約縦28×横42cm、まち幅約22cm
(**17**) 約縦23×横18cm、まち幅約10cm

HOW TO MAKE 16/p.54, 17/p.56

使用したリバティプリント…Evie Rose

17
STANLEY

SIMPLY GUM
18
SKETCH BOOK

使用したリバティプリント…
(**18**) Big Smoke、Fergus、April Showers、Pride And Bloom、Jo Lee、Dot、Jonathan、Grand Royall、Gatsby Garden Small、Pepper、Sun Speckle、Willow Walk
(**19**) Currant、Edenham、Chive、Capel、Maude、Juniper、Alice Victoria、Patrick Gorden、Cherry Drop

NOTES
19

まち付きお道具ポーチ

小さいサイズ**19**はレトロな柄を9種類、大きいサイズ**18**はブルー系12種類のリバティプリントを使った、ふっくらしたポーチ。プチ巾着付きです。小さいサイズには手芸道具を、大きなサイズにはB6サイズのノートを入れて使っています。

でき上がり…(**18**) 約縦12.5×横20㎝、まち幅約3.5㎝
(**19**) 約縦8×横20㎝、まち幅約3.5㎝

HOW TO MAKE p.58

20,21

使用したリバティプリント…WiltShire

Piments
Langues
d'Oiseaux
moulus
Appel
SARDINEN-FILETS
MADELEINE

楕円底のバニティポーチ

大サイズは出し入れがしやすいよう、手前は浅く、奥は深くなるようにファスナーをつけました。高さのあるボトルも入り、収納力たっぷりです。後ろの持ち手はファスナーを開けやすいように。小サイズはお出かけにも役立ちます。

でき上がり…(**20**)約幅20×奥行14.5×高さ21㎝
(**21**)約幅18×奥行11×高さ8.6㎝

HOW TO MAKE 20/p.60, 21/p.63

一緒に持ちたいバッグとこもの

おそろいで持てば
お出かけが楽しくなる
アイテムを考えました。
使い勝手のいい工夫を
盛り込めたのは
ハンドメイドならでは。

22,23

使用したリバティプリント…Composition

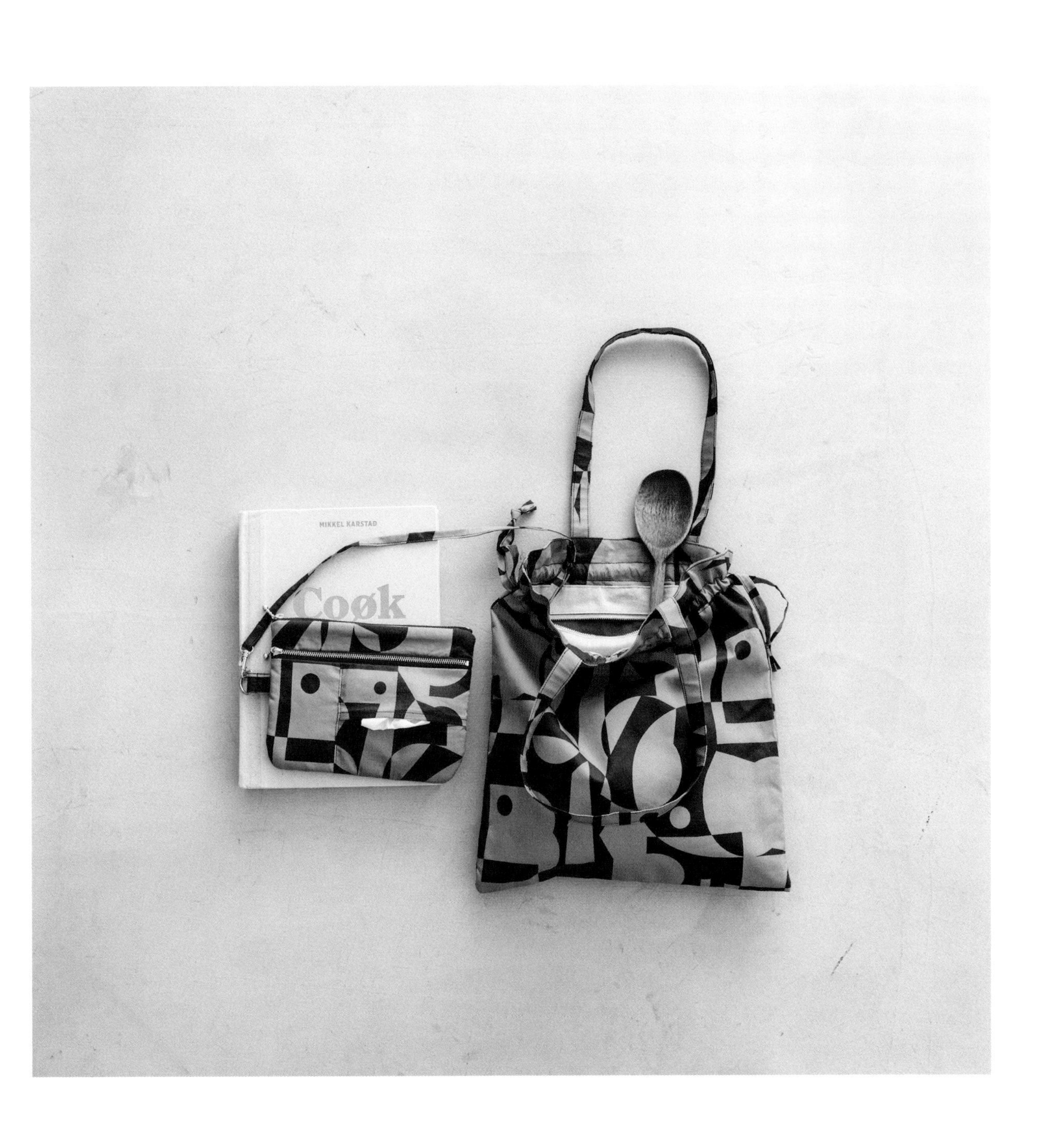
MIKKEL KARSTAD
Coøk

ファスナーポケット付き
巾着バッグ＆
ポケットティッシュケース付き
ダブルファスナーポーチ

巾着バッグはファスナーポケットやストラップ付きで、使いやすいと大人気です。ポーチはポケットティッシュがさっと出せて、収納もたっぷりなダブルファスナータイプ。バッグとおそろいで作ってもらいたいです。

でき上がり…(**22**)約縦36×横33㎝　(**23**)約縦15.5×横21㎝

HOW TO MAKE　22/p.64, 23/p.68

24,25

巾着サコッシュ&
ポケットティッシュケース付き
ファスナーポーチ

使用したリバティプリント…Sea Salt

24ページのサイズ違い2作品です。ショルダータイプの小さい巾着サコッシュは、ポケットなしのシンプルなデザイン。ゴムを通してギャザーを寄せています。小さいポーチは、巾着サコッシュに入れるのにぴったりなサイズ。

でき上がり…(**24**)約縦20×横26㎝　(**25**)約縦13.5×横14㎝

HOW TO MAKE　24/p.66, 25/p.70

26,27 持ち手がポケットの帆布バッグ＆一枚仕立てのファスナーポーチ

使用したリバティプリント…(**26**) (**27**) Myrtle　(**28**) (**29**) Vine Thief

BAG

持ち手がポケットになっている、ユニークで実用的なバッグ。ポケットが3つあり、取り外しできるストラップも実用的です。バッグの余り布でできる、一枚仕立てで手軽に作れるファスナーポーチもぜひ一緒に縫って。

28,29

でき上がり…(**26**) 約縦25×横30㎝、まち幅約12㎝
(**28**) 約縦29×横27㎝、まち幅約4㎝
(**27**) 約縦18×横27㎝　(**29**) 約縦15×横22㎝

HOW TO MAKE　26·28/p.72, 27·29/p.71

30,31

一枚仕立ての2wayナイロンバッグ（大）&
ナイロン傘カバー（長傘用）

使用したリバティプリント…On the Ball

ナイロンキャンバス地と、巾着にリバティプリントのナイロンリップストップを使った雨の日に心強いバッグ。巾着を閉じても内ポケットに手が届くように工夫しました。 傘カバー内側にはお手持ちのタオルを利用してもOKです。

でき上がり…(**30**) 約縦36×横33cm、まち幅約18cm
(**31**) 約縦74×横12cm

HOW TO MAKE 30/p.74, 31/p.76

32,33

一枚仕立ての2wayナイロンバッグ（小）&
ナイロン傘カバー（折りたたみ傘用）

31ページのナイロンバッグと傘カバーのサイズ違い2作品です。バッグはナイロンではなく帆布やキャンバス地で縫っても使いやすい形。折りたたみ傘を濡れたままさっとしまえるので便利。家族にそれぞれ作ったら喜ばれました。

でき上がり…（**32**）約縦25×横22㎝、まち幅約10㎝
（**33**）約縦30×横12㎝

HOW TO MAKE 32/p.74, 33/p.77

使用したリバティプリント…Peach Blossom

34

使用したリバティプリント…Birdsong

35

丸底のまんまる巾着バッグとポーチ

6枚をはぎ合わせたまんまるの巾着は、形が愛らしくておすすめのデザイン。ちらっと見える小さい丸底も可憐です。丸底は、まち針やしつけで固定してからゆっくり縫って。バッグの持ち手にもリバティプリントを使いました。

でき上がり…(**34**)約底直径12×高さ27.5㎝　(**35**)約底直径7.5×高さ17㎝

HOW TO MAKE p.78

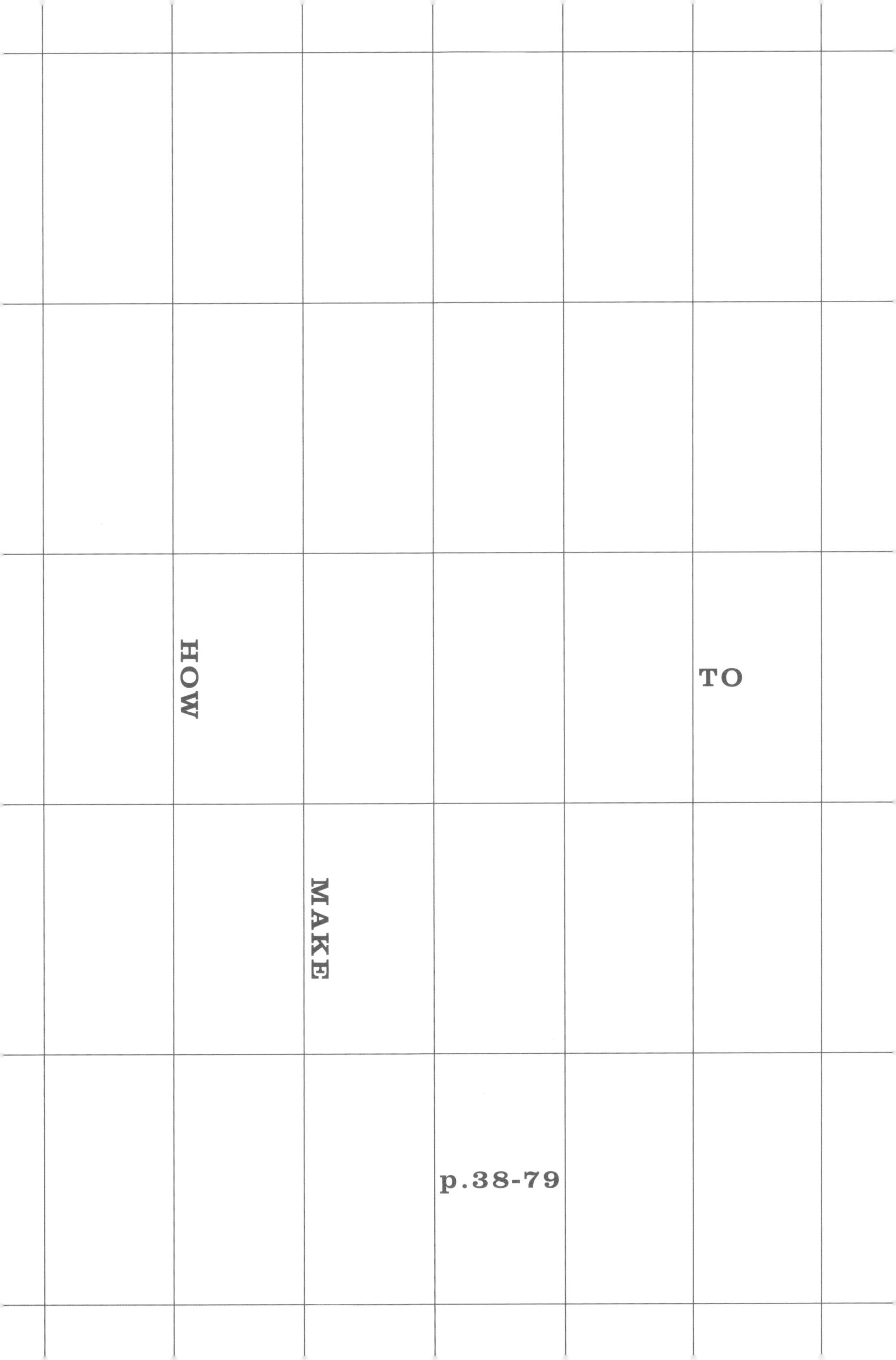

HOW
TO
MAKE
p.38-79

作り始める前に

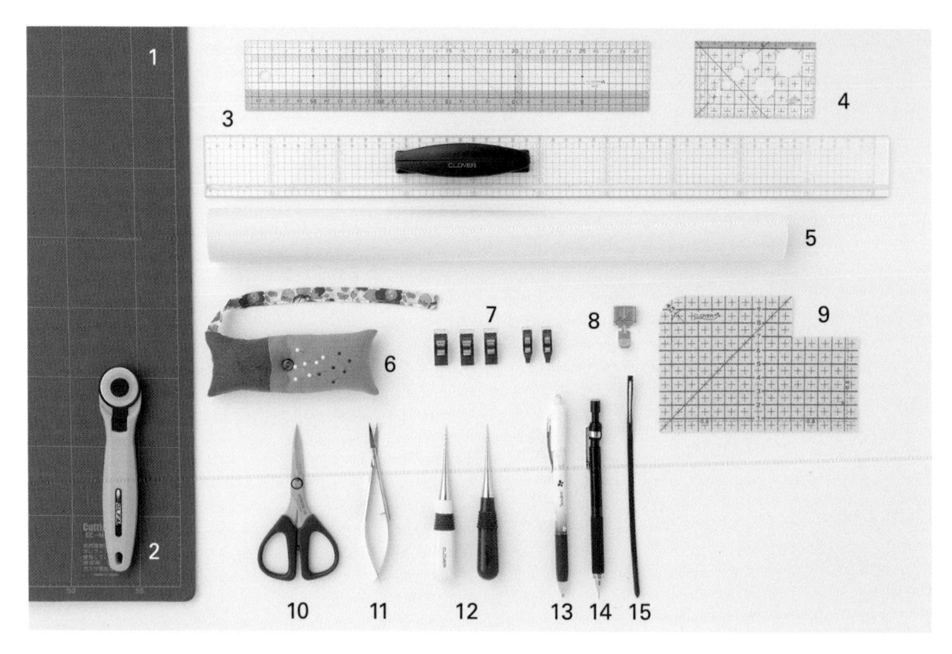
1
2
3
4
5
6
7
8
9
10
11
12
13
14
15

基本的な道具

1 カッティングマット　布を裁つとき、ロータリーカッターとセットで使う。2 ロータリーカッター　布を裁つときに、カッティングマットとセットで使う。3 定規　型紙を写すときや長さを測るとき、布に線を引くときに。方眼タイプが便利。30cm定規と50cm定規があると便利。大きいバッグを作る場合は50cm定規もあるとよい。50cm定規は手芸用ではない、滑り止めつきのカッティング定規を愛用。4 カードサイズの定規　まちを縫うときに、手のひらサイズで測りやすい。5 ハトロン紙　型紙を写すときに。6 まち針・ピンクッション　まち針は布同士を固定するときに。まっすぐなものを使うこと。必要なときにすぐ使えるよう、ピンクッションに刺しておく。7 手芸クリップ　布同士を固定するときに。つけはずしが簡単。先細タイプは先端などをピンポイントで固定するときに便利。8 ミシンの片押さえ　ファスナーを縫うときは、ミシンの付属品の片押さえを使う。9 アイロン定規　均等に折り目をつけたいときに。10 カットワークハサミ　切り込みを入れるときや角を切り落とすときなどに。11 糸切りバサミ　糸を切るときに。12 目打ち　ミシンで縫うときの布送りや、角を出すときに。先端が丸いタイプは生地を傷つけにくい。13 チャコペンシル（シャープペンシルタイプ）　布に印をつけるときに。消しゴムで消すタイプ。芯が折れにくく、ペン先が細いので正確な線が引ける。14 シャープペンシル　型紙を写すときに。15 ひも通し　ひもを通すときに。長くてやわらかい素材でできているので使いやすい。

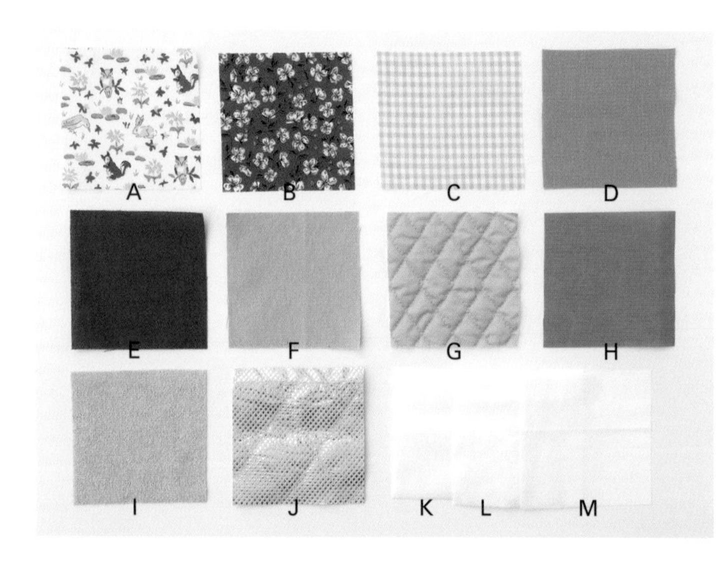
A
B
C
D
E
F
G
H
I
J
K
L
M

使った生地と芯

A リバティプリント（タナローン）　しなやかで上質な綿生地。B リバティプリント（ナイロンリップストップ）　格子状に糸を織り込んだ撥水加工生地。薄手でありながらも、破れにくい。C コットン　綿素材の生地。無地や柄布がある。D リネン　麻の生地。E コットンリネン　綿をベースに麻を混ぜた生地。F 帆布　綿で作られた平織りの厚手生地。家庭用ミシンでも縫いやすい11号帆布を使用。ミシン針は14番を使用。G キルティング地　2枚の生地の間にわたを挟み、ステッチした生地。H ナイロンキャンバス　ナイロンの生地。しっかりした厚みがあり、撥水加工がしてある。I タオル地　タオル素材の布。J 保冷保温シート　わた、不織布、アルミシート、メッシュ生地の4層構造。保温保冷効果がある。K ハード接着芯　ハリのある接着芯。L字ファスナーの財布ショルダーに使用。L 薄手キルト芯　接着ではないタイプ。まち針を使わなくても布にフィットして便利。M 織物接着芯　リバティプリントにはしっかり接着できる織物タイプの接着芯がおすすめ。アウルスママの接着芯を愛用。

使った副資材

【ファスナー】

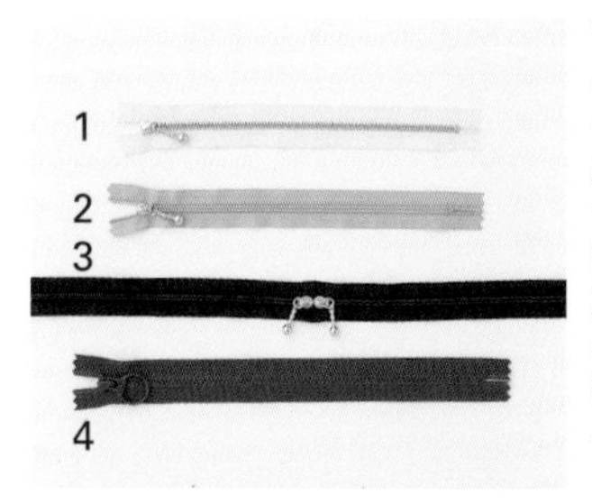
1
2
3
4

1 金属ファスナー　ムシに金属（合金やアルミ、ニッケルなど）を使用したファスナー。ムシの一つひとつが独立してテープについている。2 コイルファスナー　樹脂製のムシがコイル状につながっているファスナー。柔軟性があり、開閉もスムーズ。ハサミでカット可能。3 コイルファスナー両開き　両開きのコイルファスナー。ハサミでカット可能。4 ビスロン®ファスナー　樹脂製のムシは金属ファスナーと同様のつき方。ムシの存在感は大きいが、同じサイズの金属ファスナーと比べて軽量。

【ブロック型スナップテープ】
（保温保冷ランチバッグ、保温保冷お重バッグで使用）

樹脂製スナップ付きテープ。ブロック同士を押しつけてスナップのように閉じる。開閉時の音が小さく、糸がからまない。テープを切り、縫って取り付ける。※片押さえを使って縫うこと

針と糸について

針と糸は生地の厚さによって変えるとスムーズにきれいに縫えます。基本の針目は2.5㎜にしています。

生地の種類と厚さ	針	糸
リバティプリント（タナローン）、薄手のリネン、コットンが2〜6枚重なるとき（巾着、ポーチなど）	9〜11号	60番
コットンリネン、ナイロンキャンバス、帆布、テープが6枚以上重なるとき（型紙のパーツが少ないボディバッグ、L字ファスナーの財布、楕円底のバニティポーチ、一枚仕立ての2wayナイロンバッグ、持ち手がポケットの帆布バッグ、一枚仕立てのファスナーポーチなど）	11〜14号	60番

接着芯の貼り方

接着芯（裏・樹脂がついている面）
生地（裏）

1 生地の裏と接着芯の裏（樹脂がついている面）を合わせる。

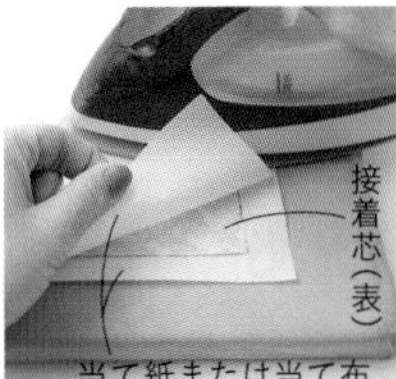
接着芯（表）
当て紙または当て布

当て紙や当て布

接着芯（表）

2 ハトロン紙などの当て紙や当て布で接着芯と生地を挟み、中温でアイロンをかける。滑らせないでプレスするよう、1カ所につき10秒くらい当てて横にずらす。すき間なくまんべんなくアイロンをかける。

型紙の作り方

実物大型紙の上にハトロン紙のざらざらした面を上にして重ね、定規を使って線や印を全て写す。外側の線（縫い代の線）でカットする。

スナップボタンのつけ方（傘カバー）

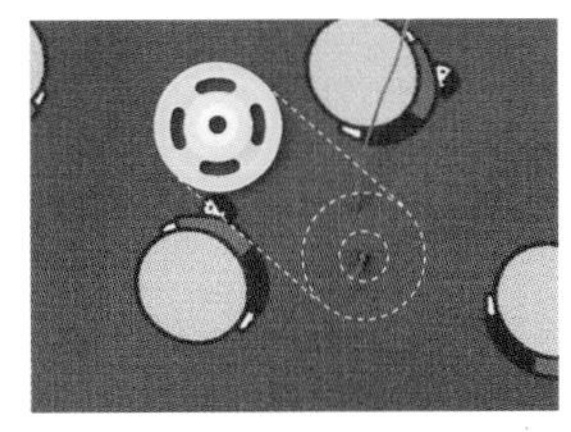

1 スナップボタンの中央になる位置の表側に玉結びがくるようにして、上の布だけをすくう。穴のあたりに糸を出す。

2 穴の右端に糸がくるようにボタンの凸側を配置し、きわをすくう。

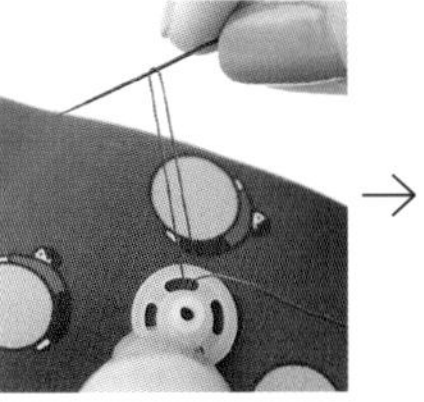

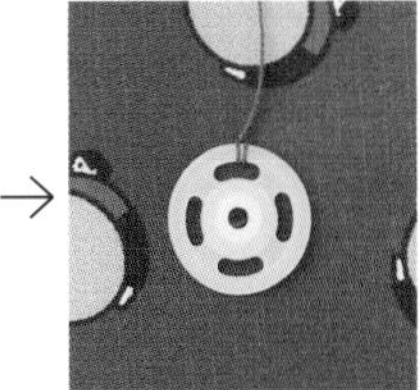

3 **2**ですくって輪になった部分に針を通し、下に向かって糸を引き締める。

4 **2〜3**を繰り返し、穴の右端から左端へと縫いつける。

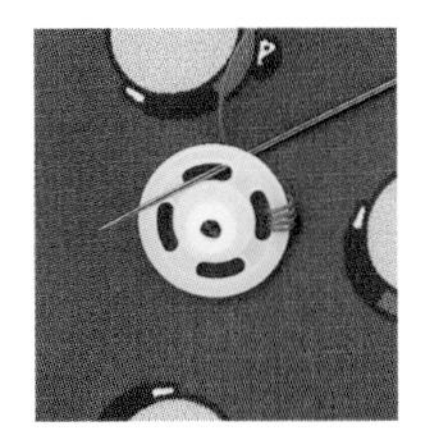

5 続けて隣の穴の外側に2枚の布の間から穴を通す。

6 同様に全ての穴を縫い終わったら、ボタンのきわで玉どめをする。ボタンの下に針を入れて玉どめを引き入れ、糸を切る。凹側も同様につける。

マグネットホックのつけ方（L字ファスナーの財布ショルダー＆財布）

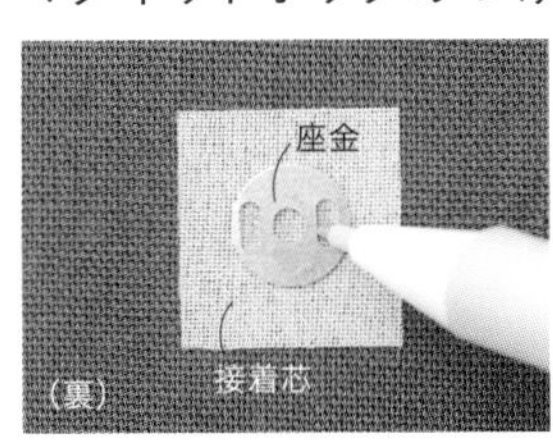
座金
接着芯
（裏）

1 マグネットホックつけ位置の裏側に小さく切った接着芯を貼り、座金を置いて印をつける。接着芯は生地のほつれ防止になる。

（裏）

2 座金をはずし、印の位置にカッターかハサミで切り込みを入れる。

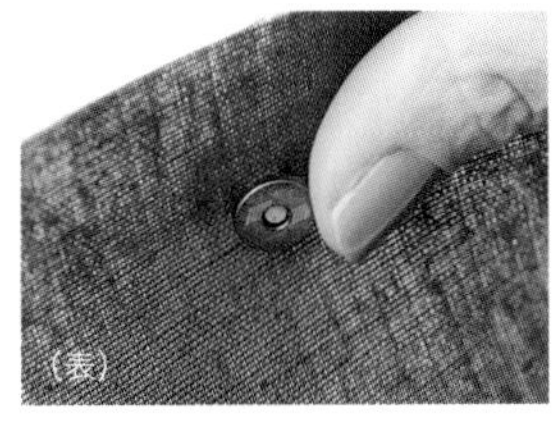
（表）

3 表側からマグネットホック（凹面）の足を差し込む。

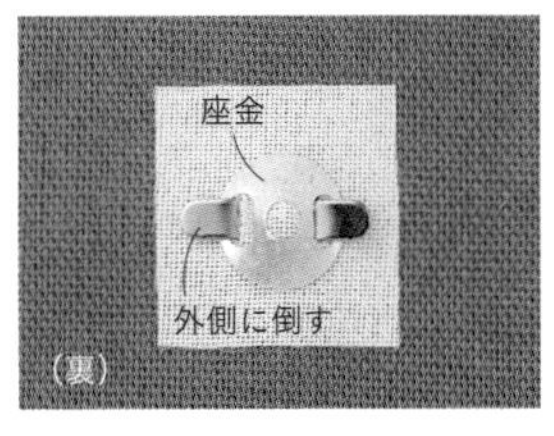
座金
外側に倒す
（裏）

4 裏に出た足に座金をはめ、足を外側に倒す。

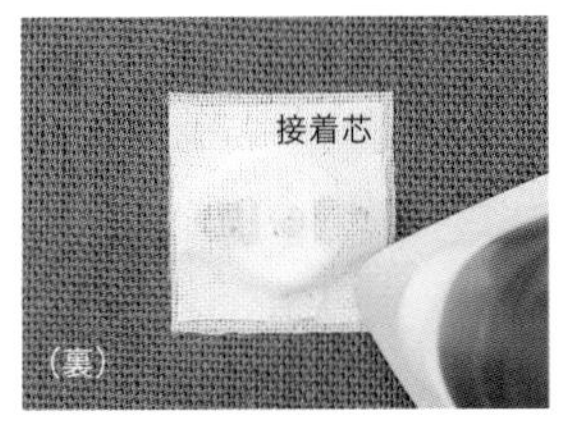
接着芯
（裏）

5 金具部分が生地に当たって傷つかないように、小さく切った接着芯を重ねて貼る。

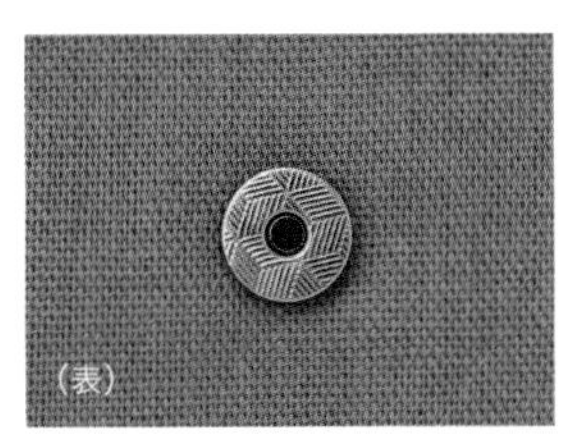
（表）

6 凹面の完成。同様に反対側にもマグネットをつける。

1
2

p.3 **1,2** しかく底のラウンドファスナーポーチ 実物大型紙 A 面

【材料】

1
リバティプリント　30㎝四方
リネン　20×10㎝
コットン　30×40㎝
接着芯　30㎝四方
ファスナー　2.5㎝幅、長さ20㎝1本

2
リバティプリント　40×25㎝
リネン　25×10㎝
コットン　35㎝四方
接着芯　40×25㎝
ファスナー　2.5㎝幅、長さ20㎝1本

裁ち方図

※数字の単位は㎝
※縫い代は指定以外1㎝
※[　]内は**2**、指定以外は**1**・**2**共通
※□は接着芯を貼る

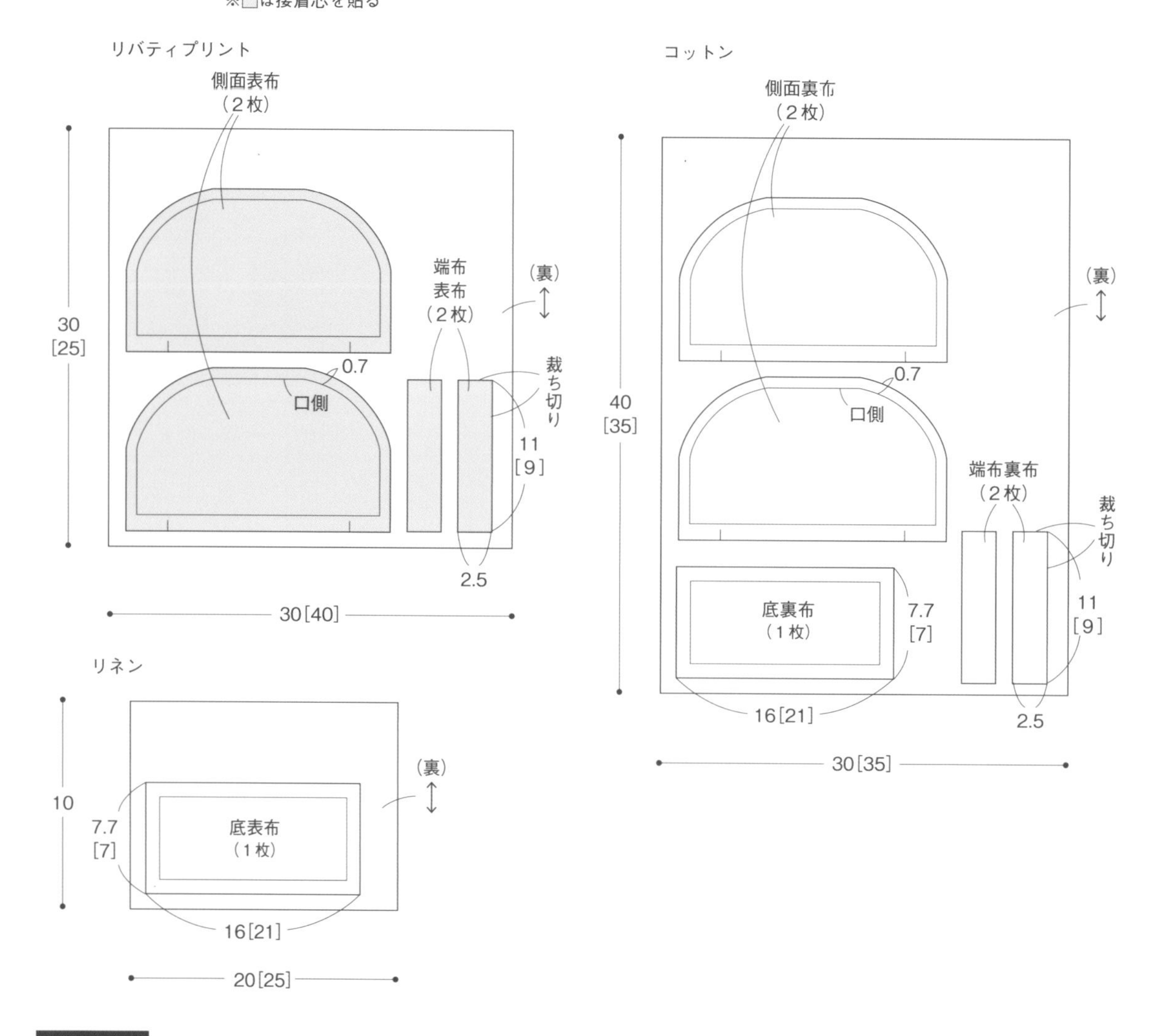

リバティプリント
側面表布
(2枚)
30
[25]
端布
表布
(2枚)
(裏)
0.7
口側
裁ち切り
11
[9]
2.5
30[40]
コットン
側面裏布
(2枚)
(裏)
40
[35]
0.7
口側
端布裏布
(2枚)
裁ち切り
底裏布
(1枚)
7.7
[7]
11
[9]
16[21]
2.5
30[35]
リネン
10
(裏)
7.7
[7]
底表布
(1枚)
16[21]
20[25]

作り方

1 ファスナーを作ります

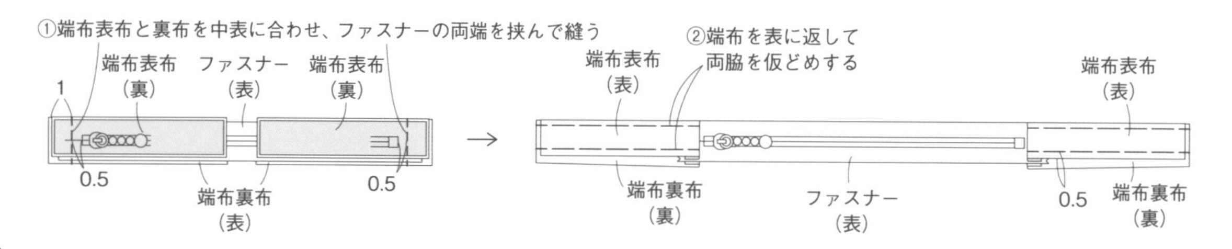

①端布表布と裏布を中表に合わせ、ファスナーの両端を挟んで縫う
端布表布
(裏)
ファスナー
(表)
端布表布
(裏)
1
0.5
端布裏布
(表)
0.5
②端布を表に返して
両脇を仮どめする
端布表布
(表)
端布裏布
(裏)
ファスナー
(表)
端布表布
(表)
0.5
端布裏布
(裏)

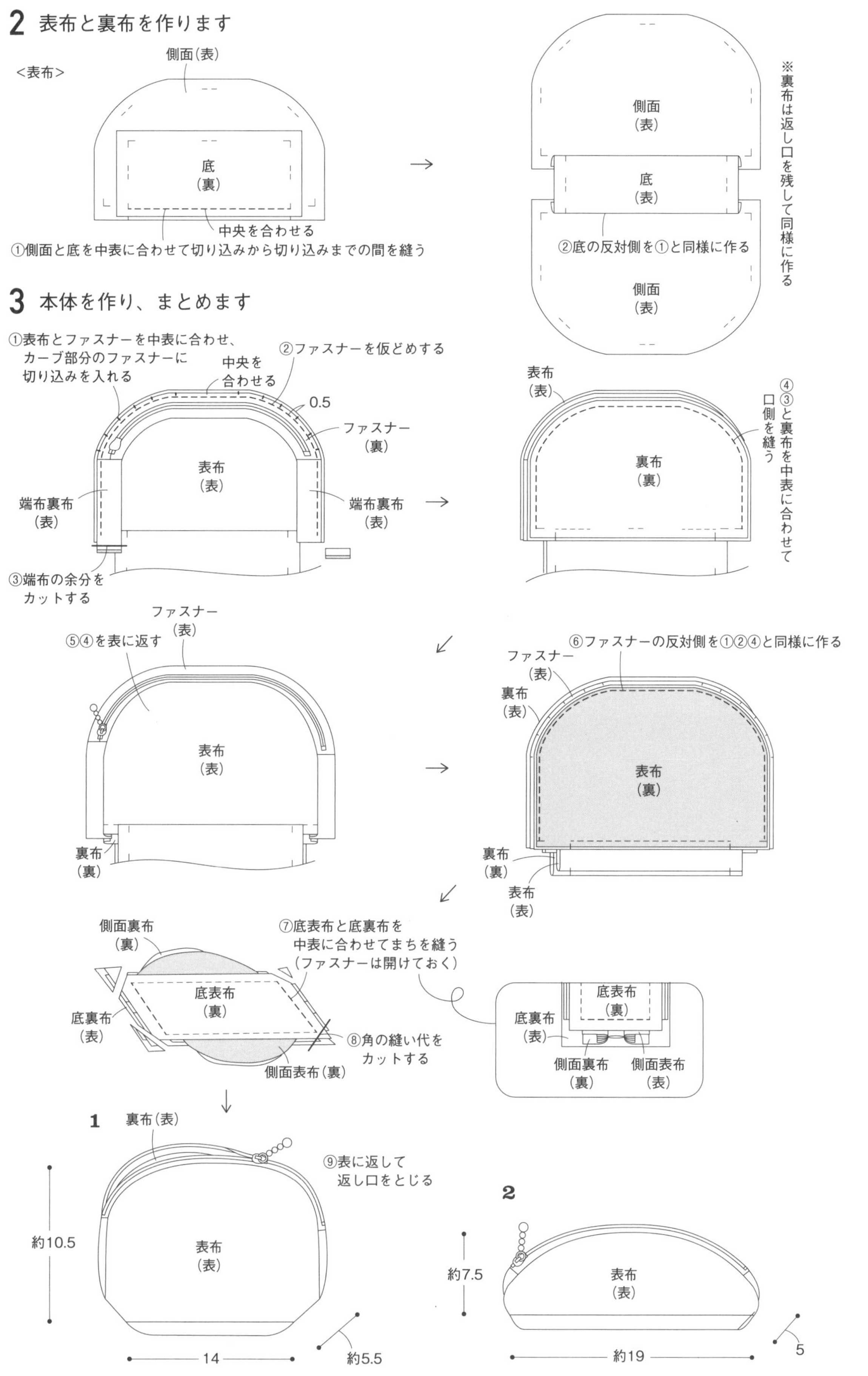

2 表布と裏布を作ります
<表布>
側面(表)
底
(裏)
中央を合わせる
①側面と底を中表に合わせて切り込みから切り込みまでの間を縫う
側面
(表)
底
(表)
②底の反対側を①と同様に作る
側面
(表)
※裏布は返し口を残して同様に作る
3 本体を作り、まとめます
①表布とファスナーを中表に合わせ、
カーブ部分のファスナーに
切り込みを入れる
中央を
合わせる
②ファスナーを仮どめする
0.5
ファスナー
(裏)
表布
(表)
端布裏布
(表)
端布裏布
(表)
③端布の余分を
カットする
表布
(表)
裏布
(裏)
④③と裏布を中表に合わせて
口側を縫う
ファスナー
(表)
⑤④を表に返す
表布
(表)
裏布
(裏)
⑥ファスナーの反対側を①②④と同様に作る
ファスナー
(表)
裏布
(表)
表布
(裏)
裏布
(裏)
表布
(表)
側面裏布
(裏)
⑦底表布と底裏布を
中表に合わせてまちを縫う
(ファスナーは開けておく)
底表布
(裏)
底裏布
(表)
⑧角の縫い代を
カットする
側面表布(裏)
底表布
(裏)
底裏布
(表)
側面裏布
(裏)
側面表布
(表)
1
裏布(表)
⑨表に返して
返し口をとじる
約10.5
表布
(表)
14
約5.5
2
約7.5
表布
(表)
約19
5

p.4 **3,4** 耳付き巾着

実物大型紙 A 面

3

4

【材料】

3
リバティプリント
15㎝四方を6種、5㎝四方を2種
リネン 50×20㎝
コットンA 60×30㎝
コットンB 60×10㎝
接着芯 30㎝四方

4
リバティプリント
10㎝四方を4種、5㎝四方を2種
リネン 35×15㎝
コットンA 40×25㎝
コットンB 50×10㎝
接着芯 30×20㎝

裁ち方図

※数字の単位は㎝
※縫い代は指定以外1㎝
※[ ]内は**4**、指定以外は**3**・**4**共通
※▢は接着芯を貼る

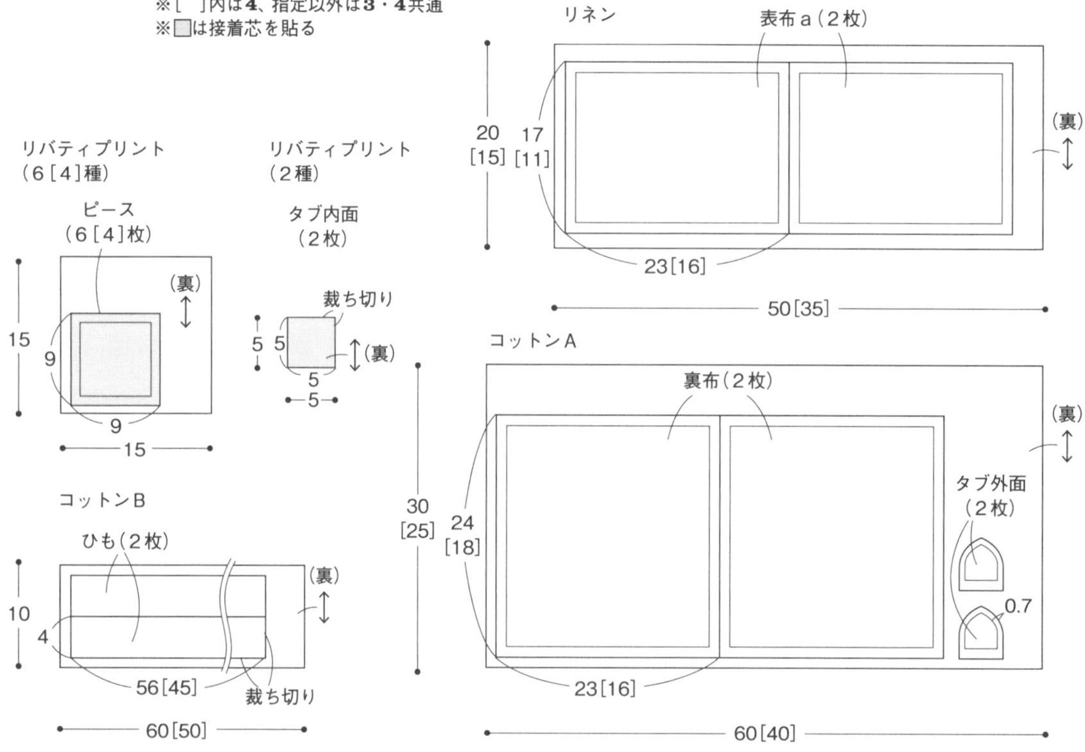

リネン
表布a（2枚）
20 [15]
17 [11]
（裏）
23[16]
50[35]
リバティプリント（6[4]種）
ピース（6[4]枚）
15
9
9
15
（裏）
リバティプリント（2種）
タブ内面（2枚）
裁ち切り
5
5
5
5
（裏）
コットンA
裏布（2枚）
30 [25]
24 [18]
（裏）
タブ外面（2枚）
0.7
23[16]
60[40]
コットンB
ひも（2枚）
10
4
（裏）
56[45]
裁ち切り
60[50]

作り方

1 ひもを作ります

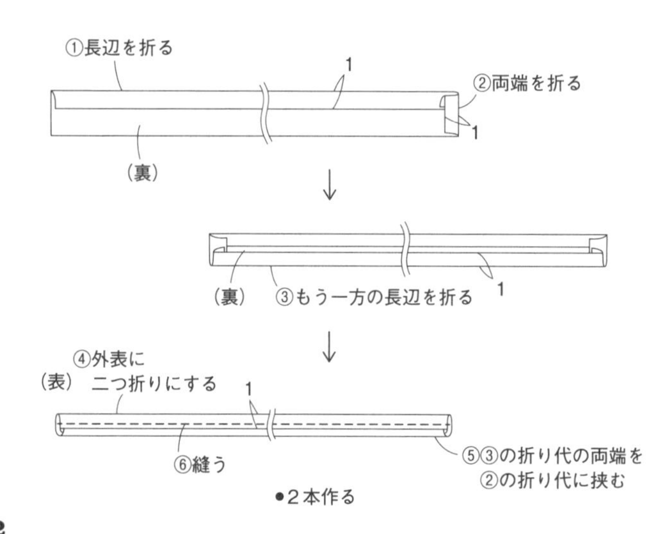

①長辺を折る
1
②両端を折る
1
（裏）
（裏）
③もう一方の長辺を折る
1
④外表に二つ折りにする
（表）
1
⑥縫う
⑤③の折り代の両端を②の折り代に挟む

●2本作る

2 タブを作ります

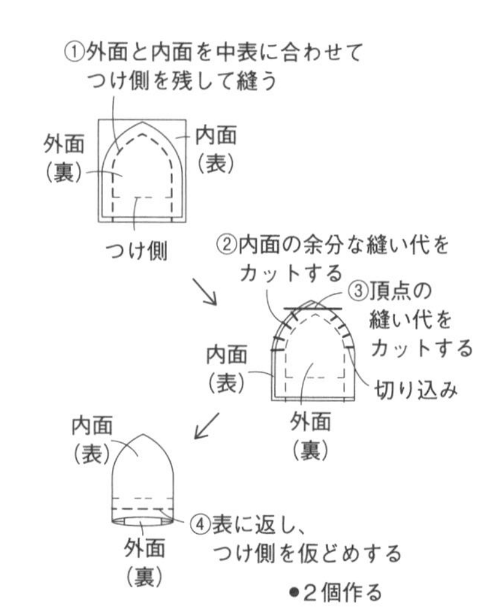

①外面と内面を中表に合わせてつけ側を残して縫う
外面（裏）
内面（表）
つけ側
②内面の余分な縫い代をカットする
③頂点の縫い代をカットする
内面（表）
切り込み
外面（裏）
内面（表）
④表に返し、つけ側を仮どめする
外面（裏）

●2個作る

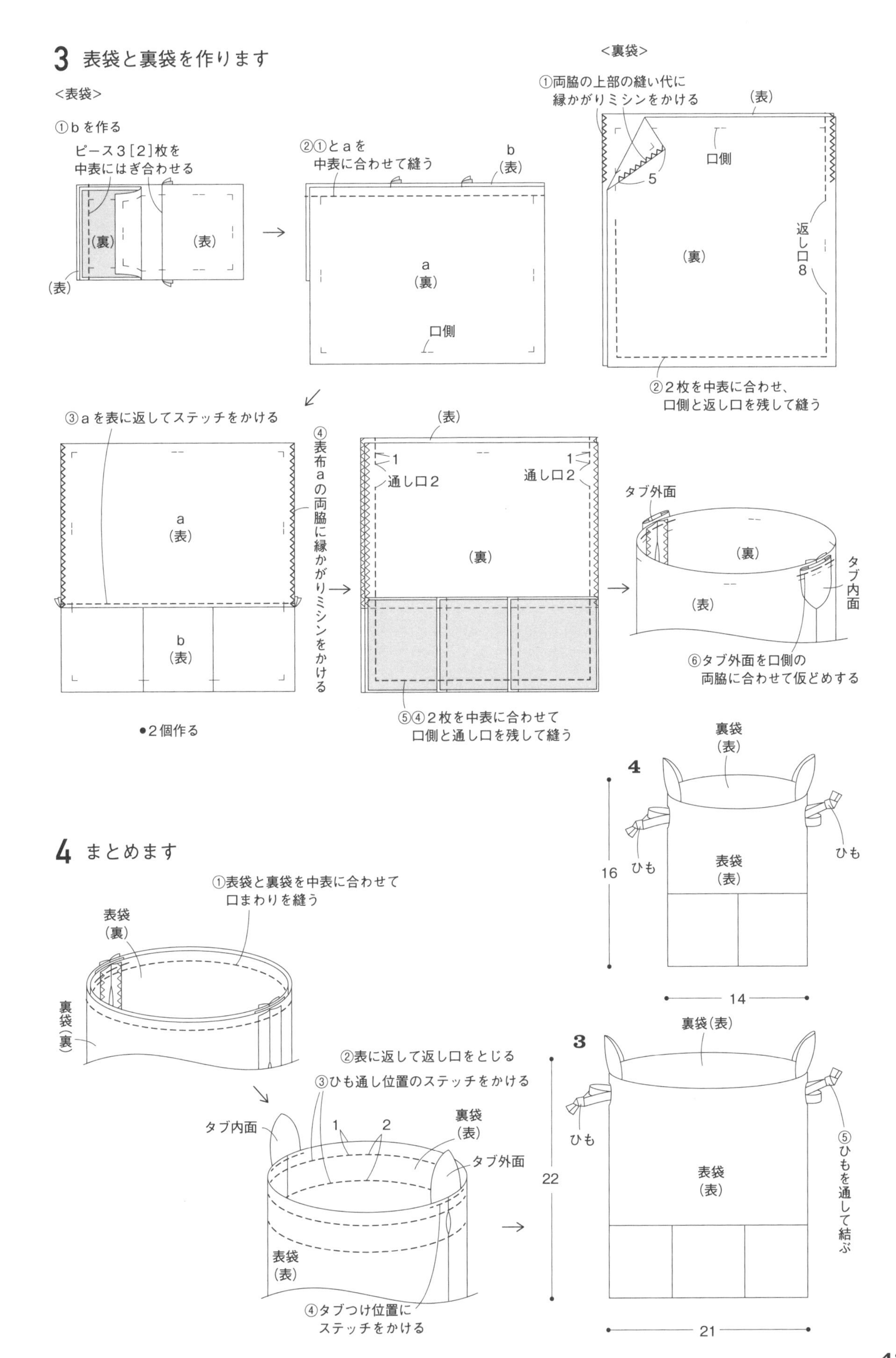

3 表袋と裏袋を作ります
<表袋>
①bを作る
ピース3[2]枚を
中表にはぎ合わせる
(裏)
(表)
(表)
②①とaを
中表に合わせて縫う
b
(表)
a
(裏)
口側
<裏袋>
①両脇の上部の縫い代に
縁かがりミシンをかける
(表)
口側
5
返し口8
(裏)
②2枚を中表に合わせ、
口側と返し口を残して縫う
③aを表に返してステッチをかける
a
(表)
b
(表)
●2個作る
④表布aの両脇に縁かがりミシンをかける
(表)
1
通し口2
1
通し口2
(裏)
⑤④2枚を中表に合わせて
口側と通し口を残して縫う
タブ外面
(裏)
(表)
タブ内面
⑥タブ外面を口側の
両脇に合わせて仮どめする
4 まとめます
①表袋と裏袋を中表に合わせて
口まわりを縫う
表袋
(裏)
裏袋(裏)
②表に返して返し口をとじる
③ひも通し位置のステッチをかける
タブ内面
1
2
裏袋
(表)
タブ外面
表袋
(表)
④タブつけ位置に
ステッチをかける
4
裏袋
(表)
ひも
ひも
16
表袋
(表)
14
3
裏袋(表)
ひも
⑤ひもを通して結ぶ
22
表袋
(表)
21

5

6

p.6 5,6 スリット入りファスナーポーチ

実物大型紙 A 面

【材料】

5
リバティプリント　15㎝四方を8種、5㎝四方を2種
コットンリネン　25×40㎝
極薄手キルト芯　25×40㎝
ファスナー　2.5㎝幅、長さ20㎝1本

6
リバティプリント　10㎝四方を8種、5㎝四方を2種
コットンリネン　20×35㎝
極薄手キルト芯　20×35㎝
ファスナー　2.5㎝幅、長さ16㎝1本

裁ち方図

※数字の単位は㎝
※縫い代は指定以外1㎝
※[ ]内は**6**、指定以外は**5**・**6**共通

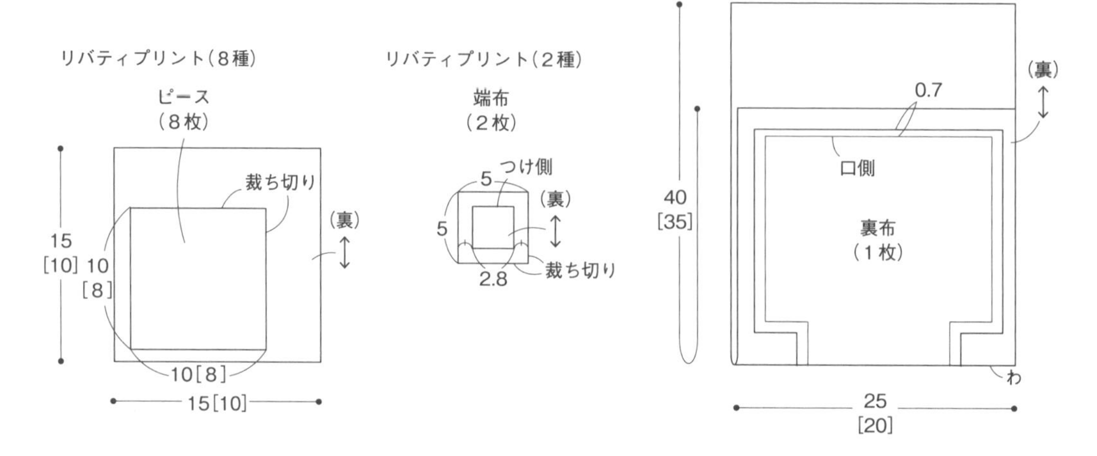

リバティプリント(8種)
ピース
(8枚)
裁ち切り
(裏)
15
[10]
10
[8]
10[8]
15[10]
リバティプリント(2種)
端布
(2枚)
つけ側
5
5
(裏)
2.8
裁ち切り
コットンリネン
(裏)
0.7
口側
40
[35]
裏布
(1枚)
わ
25
[20]

作り方

1 端布を作ります

2 ファスナーを作ります

3 表布を作ります

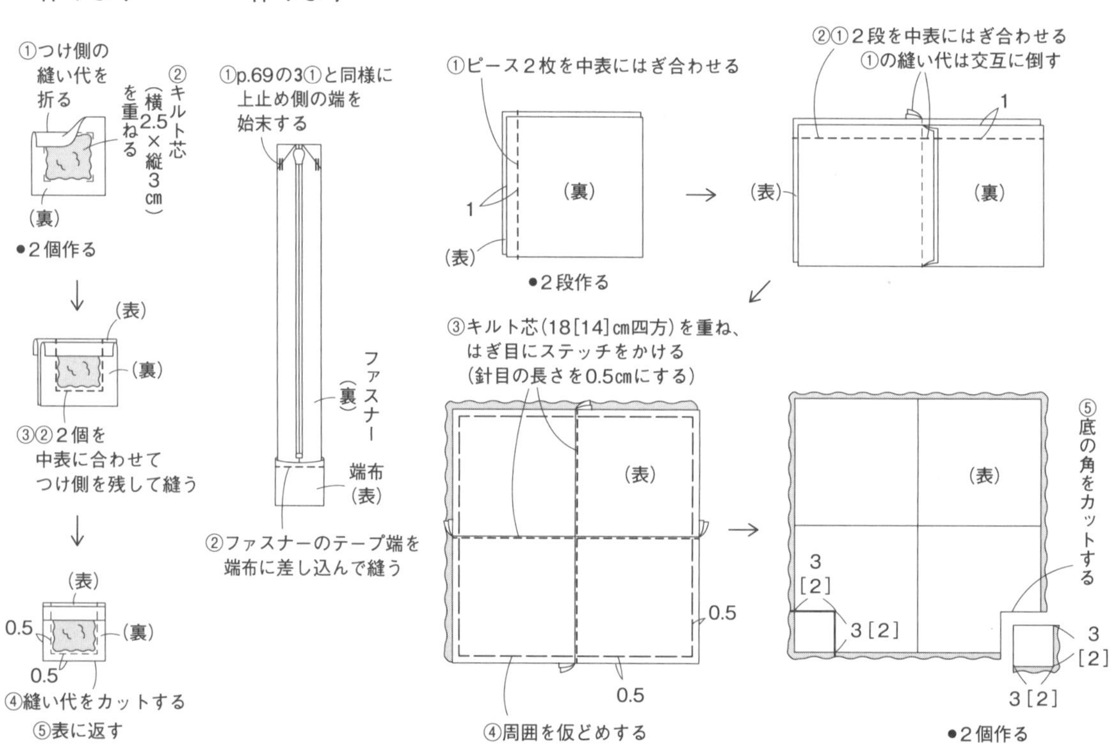

①つけ側の縫い代を折る
②キルト芯(横2.5×縦3㎝)を重ねる
(裏)
●2個作る
(表)
(裏)
③②2個を中表に合わせてつけ側を残して縫う
(表)
0.5
(裏)
0.5
④縫い代をカットする
⑤表に返す
①p.69の3①と同様に上止め側の端を始末する
ファスナー(裏)
端布(表)
②ファスナーのテープ端を端布に差し込んで縫う
①ピース2枚を中表にはぎ合わせる
1
(裏)
(表)
●2段作る
②①2段を中表にはぎ合わせる
①の縫い代は交互に倒す
1
(表)
(裏)
③キルト芯(18[14]㎝四方)を重ね、はぎ目にステッチをかける
(針目の長さを0.5㎝にする)
(表)
0.5
0.5
④周囲を仮どめする
(表)
⑤底の角をカットする
3
[2]
3[2]
3
[2]
3[2]
●2個作る

4 本体を作り、まとめます

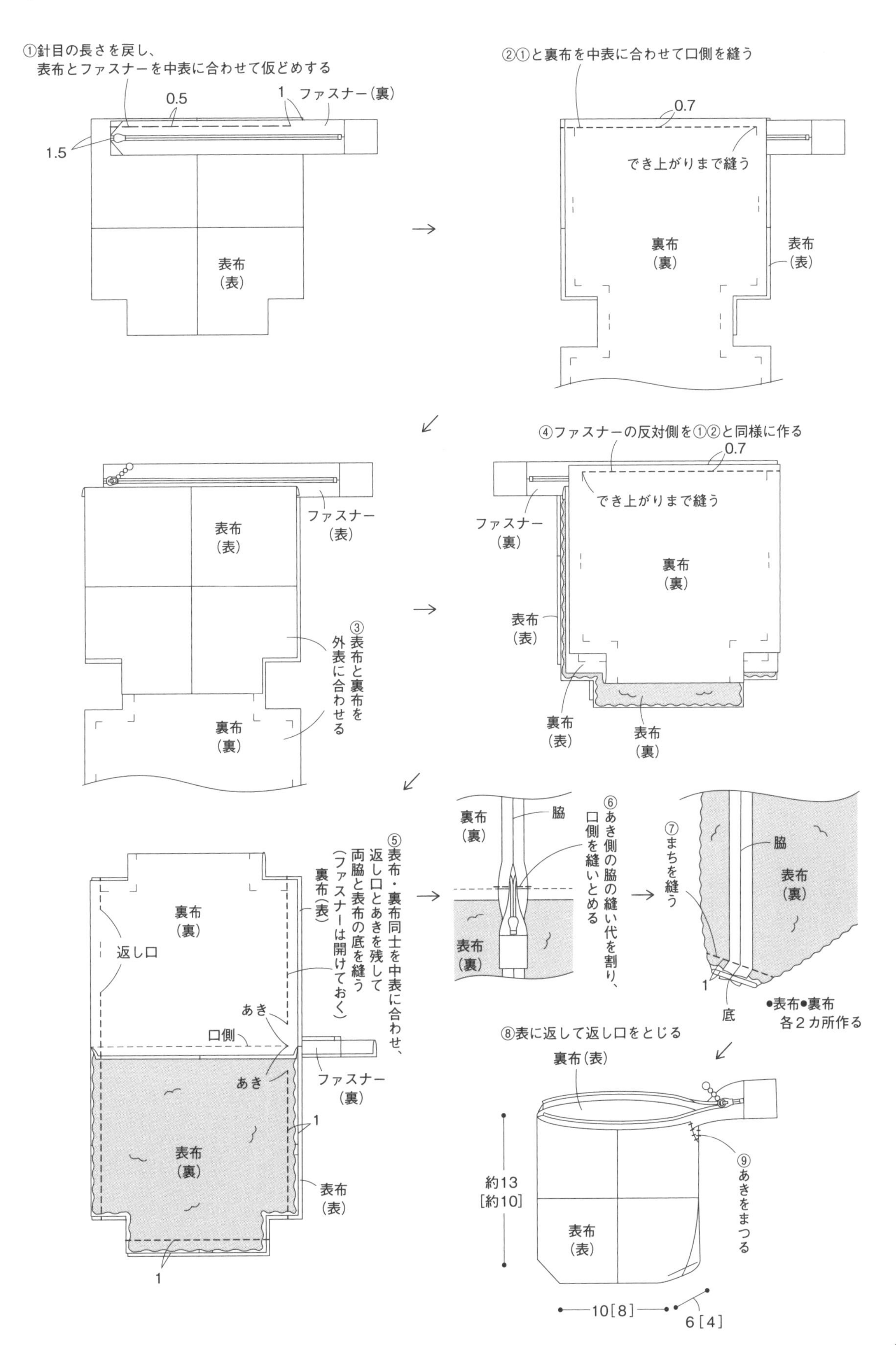

①針目の長さを戻し、
表布とファスナーを中表に合わせて仮どめする
0.5
1
ファスナー(裏)
1.5
表布
(表)
②①と裏布を中表に合わせて口側を縫う
0.7
でき上がりまで縫う
裏布
(裏)
表布
(表)
ファスナー
(表)
表布
(表)
③表布と裏布を外表に合わせる
裏布
(裏)
④ファスナーの反対側を①②と同様に作る
0.7
でき上がりまで縫う
ファスナー
(裏)
裏布
(裏)
表布
(表)
裏布
(表)
表布
(裏)
⑤表布・裏布同士を中表に合わせ、返し口とあきを残して両脇と表布の底を縫う(ファスナーは開けておく)
裏布
(表)
裏布
(裏)
返し口
あき
口側
あき
ファスナー
(裏)
1
表布
(裏)
表布
(表)
1
裏布
(裏)
脇
⑥あき側の脇の縫い代を割り、口側を縫いとめる
表布
(裏)
⑦まちを縫う
脇
表布
(裏)
1
底
●表布●裏布
各2カ所作る
⑧表に返して返し口をとじる
裏布(表)
⑨あきをまつる
約13
[約10]
表布
(表)
10[8]
6[4]

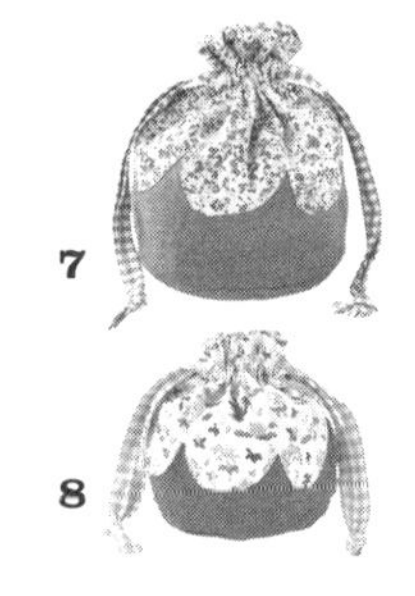
7
8

p.8 **7,8** 丸底のスカラップ巾着

実物大型紙 B 面

【材料】

7
リバティプリント　25×30㎝
リネン　40×30㎝
コットンA　60×30㎝
コットンB　25×15㎝

8
リバティプリント　20×25㎝
リネン　35×20㎝
コットンA　55×30㎝
コットンB　25×15㎝

裁ち方図

※数字の単位は㎝　※縫い代は指定以外１㎝　※[　]内は8、指定以外は7・8共通

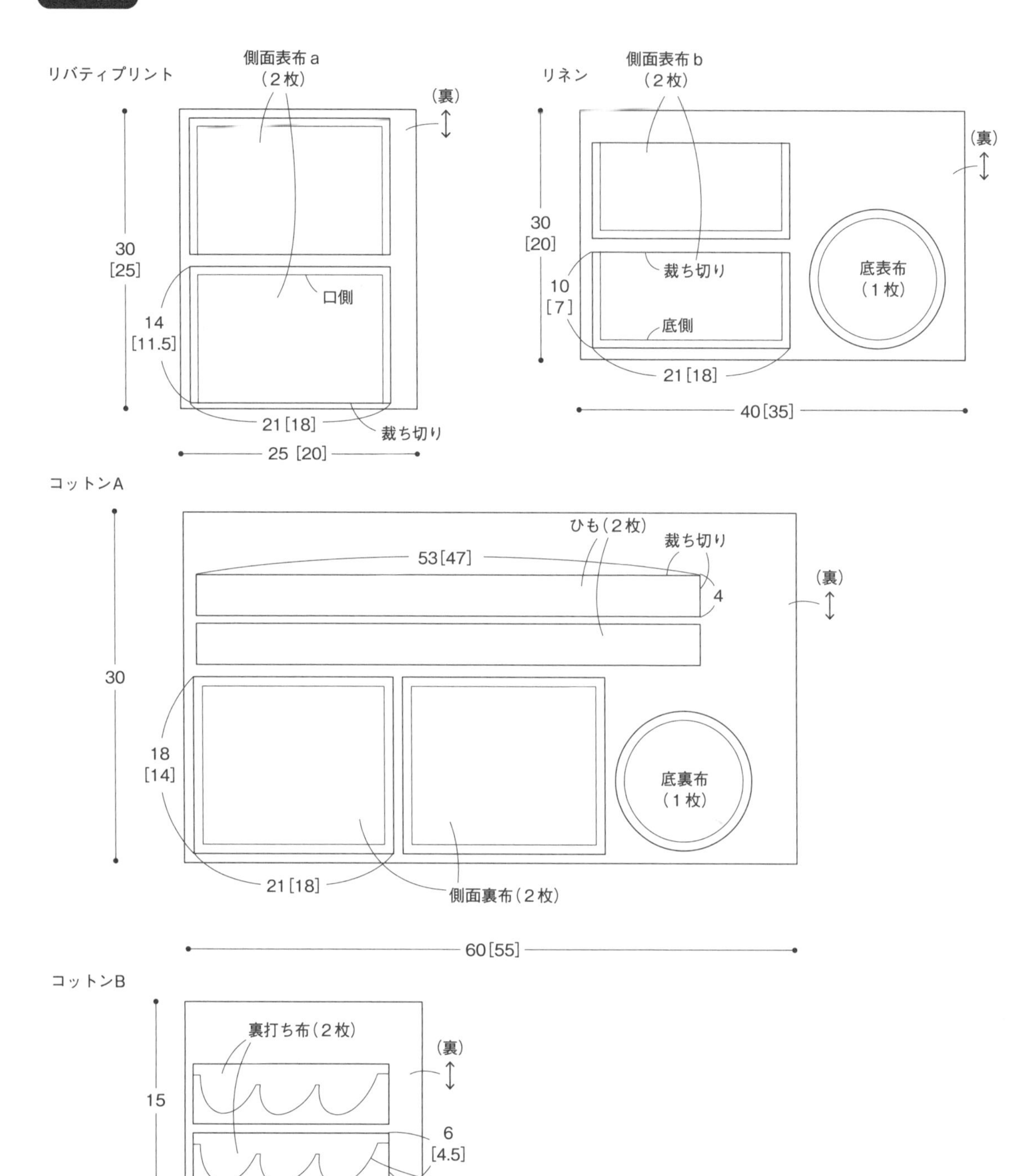
リバティプリント
側面表布 a
（２枚）
（裏）
30
[25]
14
[11.5]
口側
21[18]
裁ち切り
25 [20]
リネン
側面表布 b
（２枚）
（裏）
30
[20]
裁ち切り
10
[7]
底側
底表布
（１枚）
21[18]
40[35]
コットンA
ひも（２枚）
裁ち切り
53[47]
4
（裏）
30
18
[14]
底裏布
（１枚）
21[18]
側面裏布（２枚）
60[55]
コットンB
裏打ち布（２枚）
（裏）
15
6
[4.5]
裏面に
型紙どおりの線を
引いておく
21[18]
裁ち切り
25

作り方

1 ひもを作ります

p.42の1と同様に２本作る

2 側面表布を作ります

3 本体を作り、まとめます

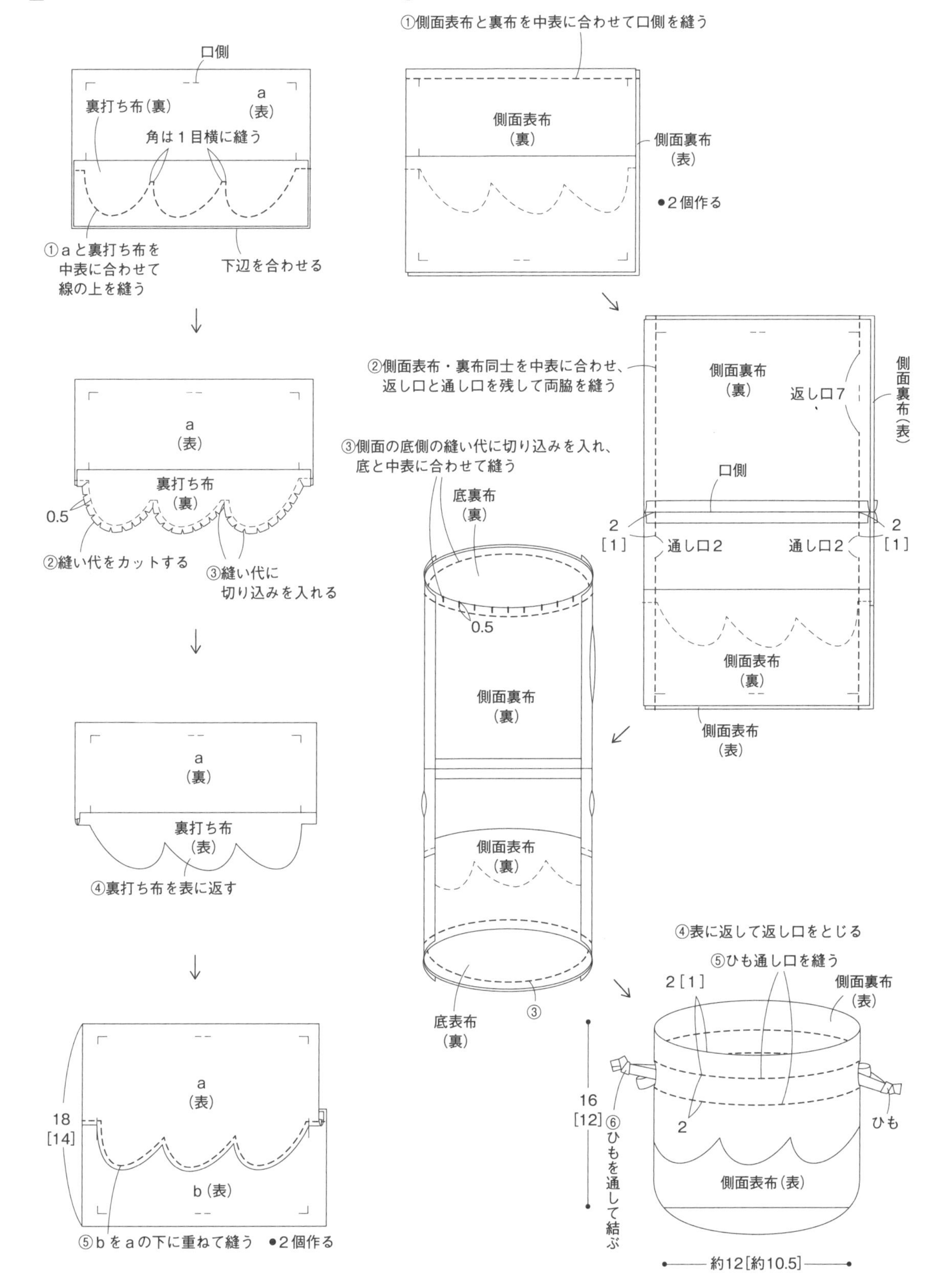

①側面表布と裏布を中表に合わせて口側を縫う
側面表布
(裏)
側面裏布
(表)
●2個作る
口側
裏打ち布(裏)
a
(表)
角は１目横に縫う
①aと裏打ち布を
中表に合わせて
線の上を縫う
下辺を合わせる
②側面表布・裏布同士を中表に合わせ、
返し口と通し口を残して両脇を縫う
側面裏布
(裏)
返し口7
側面裏布(表)
口側
2
[1]
通し口2
通し口2
側面表布
(裏)
側面表布
(表)
a
(表)
裏打ち布
(裏)
0.5
②縫い代をカットする
③縫い代に
切り込みを入れる
③側面の底側の縫い代に切り込みを入れ、
底と中表に合わせて縫う
底裏布
(裏)
0.5
側面裏布
(裏)
側面表布
(裏)
③
底表布
(裏)
a
(裏)
裏打ち布
(表)
④裏打ち布を表に返す
④表に返して返し口をとじる
⑤ひも通し口を縫う
2[1]
側面裏布
(表)
2
ひも
16
[12]
⑥ひもを通して結ぶ
側面表布(表)
約12[約10.5]
a
(表)
18
[14]
b(表)
⑤bをaの下に重ねて縫う　●2個作る

p.12 **10,11** 型紙のパーツが少ないボディバッグ

実物大型紙 A面

【材料】

10	11
リバティプリント　70㎝×30㎝	リバティプリント　110㎝幅×35㎝
コットンリネン　70㎝×30㎝	コットンリネン　110㎝幅×35㎝
接着芯　70×30㎝	接着芯　110㎝幅×35㎝
テープ　3㎝幅1.3m	テープ　3㎝幅1.3m
ファスナー　2.7㎝幅、長さ25㎝1本	ファスナー　2.7㎝幅、長さ35㎝1本
移動カン　3㎝幅2個	移動カン　3㎝幅2個
バックル　3㎝幅1組	バックル　3㎝幅1組

裁ち方図

※数字の単位は㎝　※縫い代は指定以外1㎝
※[　]内は**10**、指定以外は**10・11**共通

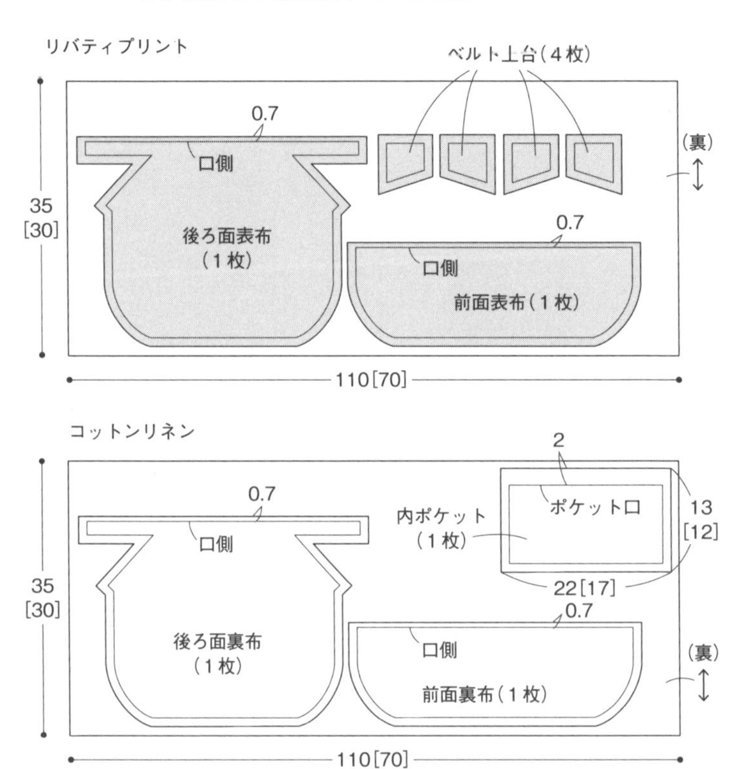

リバティプリント
ベルト土台(4枚)
0.7
口側
後ろ面表布
(1枚)
0.7
口側
前面表布(1枚)
(裏)
35
[30]
110[70]
コットンリネン
2
0.7
口側
内ポケット
(1枚)
ポケット口
13
[12]
22[17]
0.7
口側
後ろ面裏布
(1枚)
前面裏布(1枚)
(裏)
35
[30]
110[70]

作り方

1 各パーツを作ります

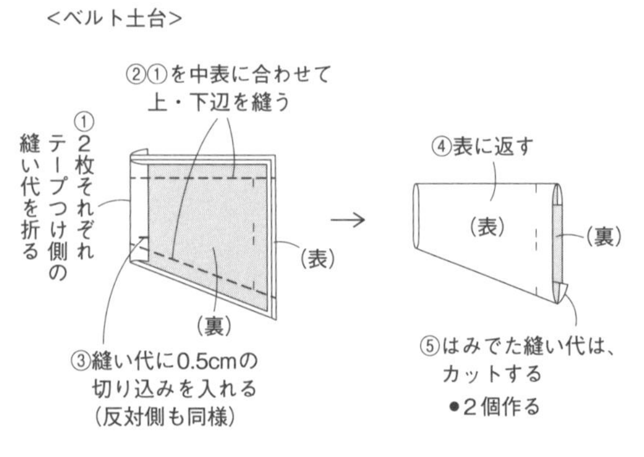

<ベルト土台>
②①を中表に合わせて
上・下辺を縫う
①2枚それぞれテープつけ側の縫い代を折る
(表)
(裏)
③縫い代に0.5cmの
切り込みを入れる
(反対側も同様)
④表に返す
(表)
(裏)
⑤はみでた縫い代は、
カットする
●2個作る

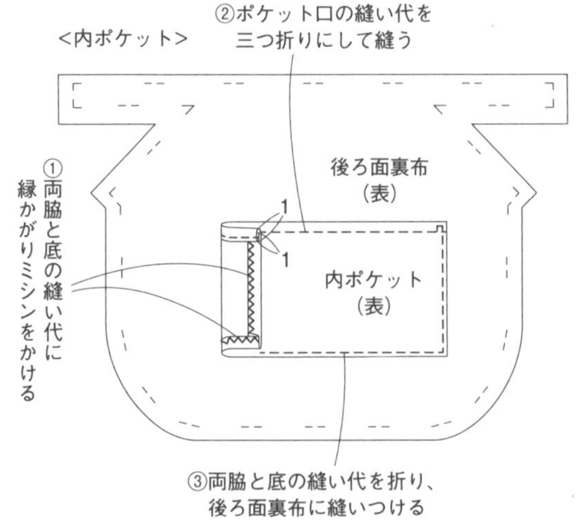

<内ポケット>
②ポケット口の縫い代を
三つ折りにして縫う
後ろ面裏布
(表)
1
1
内ポケット
(表)
①両脇と底の縫い代に縁かがりミシンをかける
③両脇と底の縫い代を折り、
後ろ面裏布に縫いつける

2 本体を作り、まとめます

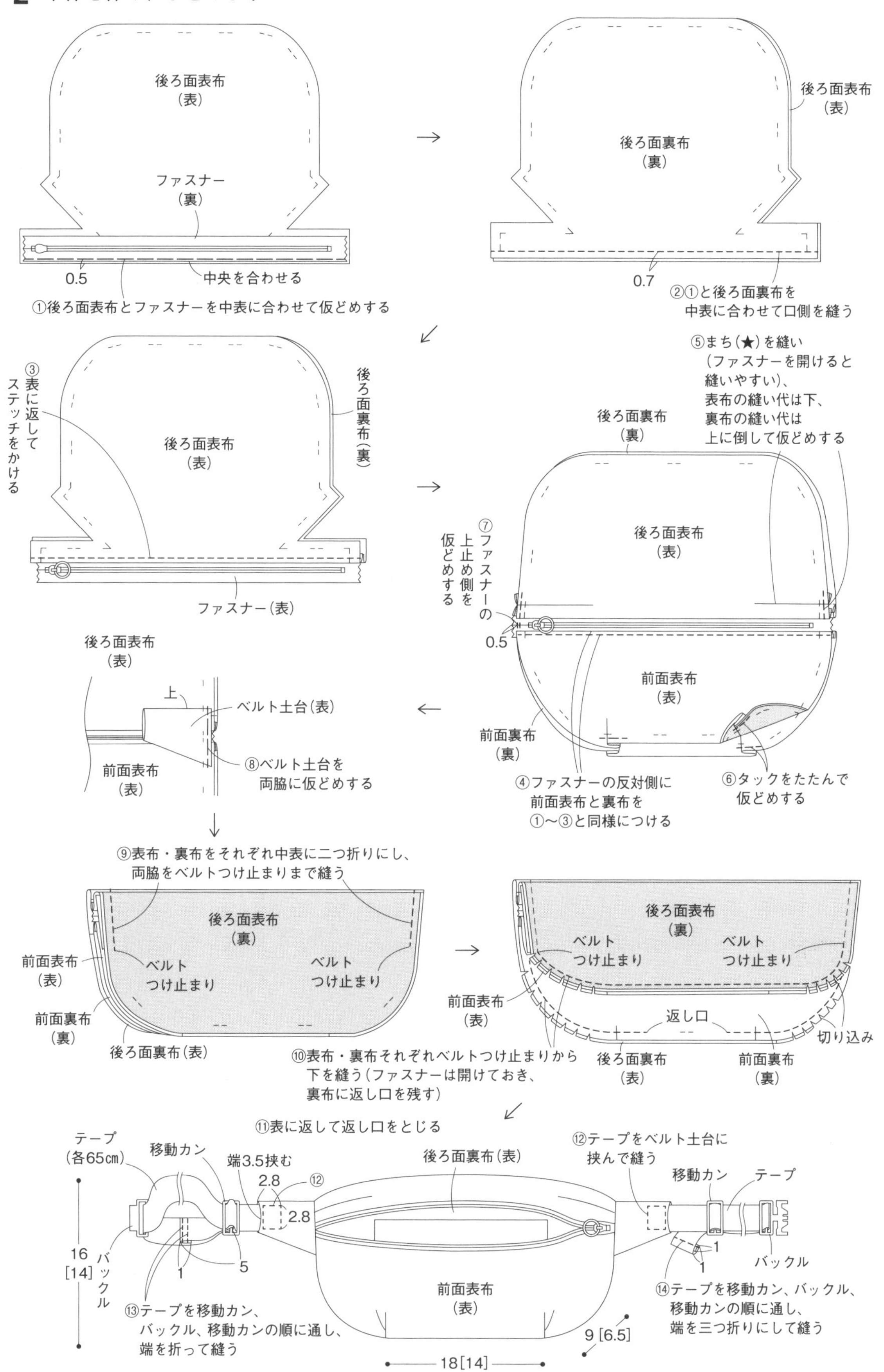

後ろ面表布
(表)
ファスナー
(裏)
0.5
中央を合わせる
①後ろ面表布とファスナーを中表に合わせて仮どめする
後ろ面表布
(表)
後ろ面裏布
(裏)
0.7
②①と後ろ面裏布を
中表に合わせて口側を縫う
③表に返してステッチをかける
後ろ面裏布(裏)
後ろ面表布
(表)
ファスナー(表)
⑤まち(★)を縫い
(ファスナーを開けると
縫いやすい)、
表布の縫い代は下、
裏布の縫い代は
上に倒して仮どめする
後ろ面裏布
(裏)
⑦ファスナーの上止め側を仮どめする
後ろ面表布
(表)
0.5
前面表布
(表)
前面裏布
(裏)
④ファスナーの反対側に
前面表布と裏布を
①~③と同様につける
⑥タックをたたんで
仮どめする
後ろ面表布
(表)
上
ベルト土台(表)
前面表布
(表)
⑧ベルト土台を
両脇に仮どめする
⑨表布・裏布をそれぞれ中表に二つ折りにし、
両脇をベルトつけ止まりまで縫う
後ろ面表布
(裏)
前面表布
(表)
ベルト
つけ止まり
ベルト
つけ止まり
前面裏布
(裏)
後ろ面裏布(表)
後ろ面表布
(裏)
ベルト
つけ止まり
ベルト
つけ止まり
前面表布
(表)
返し口
切り込み
⑩表布・裏布それぞれベルトつけ止まりから
下を縫う(ファスナーは開けておき、
裏布に返し口を残す)
後ろ面裏布
(表)
前面裏布
(裏)
⑪表に返して返し口をとじる
テープ
(各65cm)
移動カン
端3.5挟む
2.8
⑫
2.8
後ろ面裏布(表)
⑫テープをベルト土台に
挟んで縫う
移動カン
テープ
16
[14]
バックル
1
5
1
1
バックル
⑬テープを移動カン、
バックル、移動カンの順に通し、
端を折って縫う
前面表布
(表)
⑭テープを移動カン、バックル、
移動カンの順に通し、
端を三つ折りにして縫う
9 [6.5]
18[14]

p.14 **12** L字ファスナーの財布ショルダー　実物大型紙 B 面

【材料】
- リバティプリント　110㎝幅×35㎝
- コットンリネン　90×50㎝
- 接着芯　110㎝幅×35㎝
- ハード接着芯　40㎝四方
- 両開きコイルファスナー
  2.4㎝幅、長さ40㎝1本
- Dカン　1.5㎝幅　2個
- 移動カン　1.5㎝幅　1個
- ナスカン　1.5㎝幅　2個
- マグネットホック(差し込みタイプ)
  1㎝径　1組

裁ち方図

※数字の単位は㎝　※縫い代は指定以外1㎝
※□は接着芯(本体裏布はハード接着芯、それ以外は接着芯)を貼る

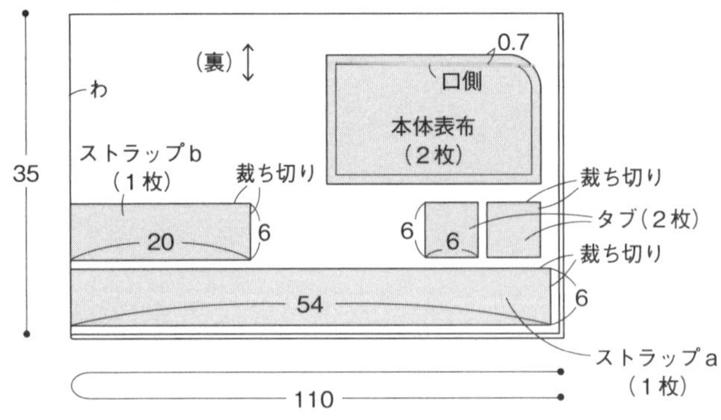

リバティプリント
(裏)
わ
0.7
口側
本体表布
(2枚)
ストラップb
(1枚)
裁ち切り
35
20
6
6
6
裁ち切り
タブ(2枚)
裁ち切り
54
6
ストラップa
(1枚)
110

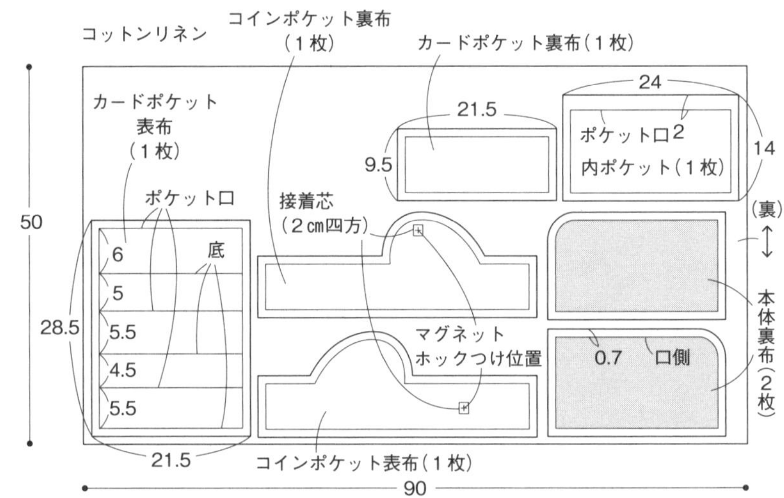

コットンリネン
コインポケット裏布
(1枚)
カードポケット裏布(1枚)
24
21.5
ポケット口2
内ポケット(1枚)
14
9.5
カードポケット
表布
(1枚)
ポケット口
接着芯
(2㎝四方)
(裏)
50
6
底
5
5.5
4.5
5.5
28.5
マグネット
ホックつけ位置
0.7
口側
本体裏布(2枚)
21.5
コインポケット表布(1枚)
90

作り方

1 各パーツを作ります

<ストラップ>

①p.66の1<肩ひも>①②と同様にはぎ合わせ、㋐〜㋒の順に折る

(表)　1.5　㋐　㋑　㋒

②外表に二つ折りにして縫う

(表)　★　㋒の折り代を短辺の折り代に挟む

ナスカン　(表)　★

③移動カンに通し、端を三つ折りにして縫う　2　5

移動カン

④ナスカン、移動カンの順に通す

⑤ナスカンに通して縫う

(表)　★　3　0.7　ナスカン

<タブ>

①外表に四つ折りにして縫う

(表)　1.5　●2個作る

②AとBを作る

㋐Dカンを通し、二つ折りにして縫う

A(表)　0.7　Dカン　0.5　㋑つけ側を仮どめする

図のように折り、Dカンを通して縫う

B(表)　0.7　Dカン　1.5　1.5

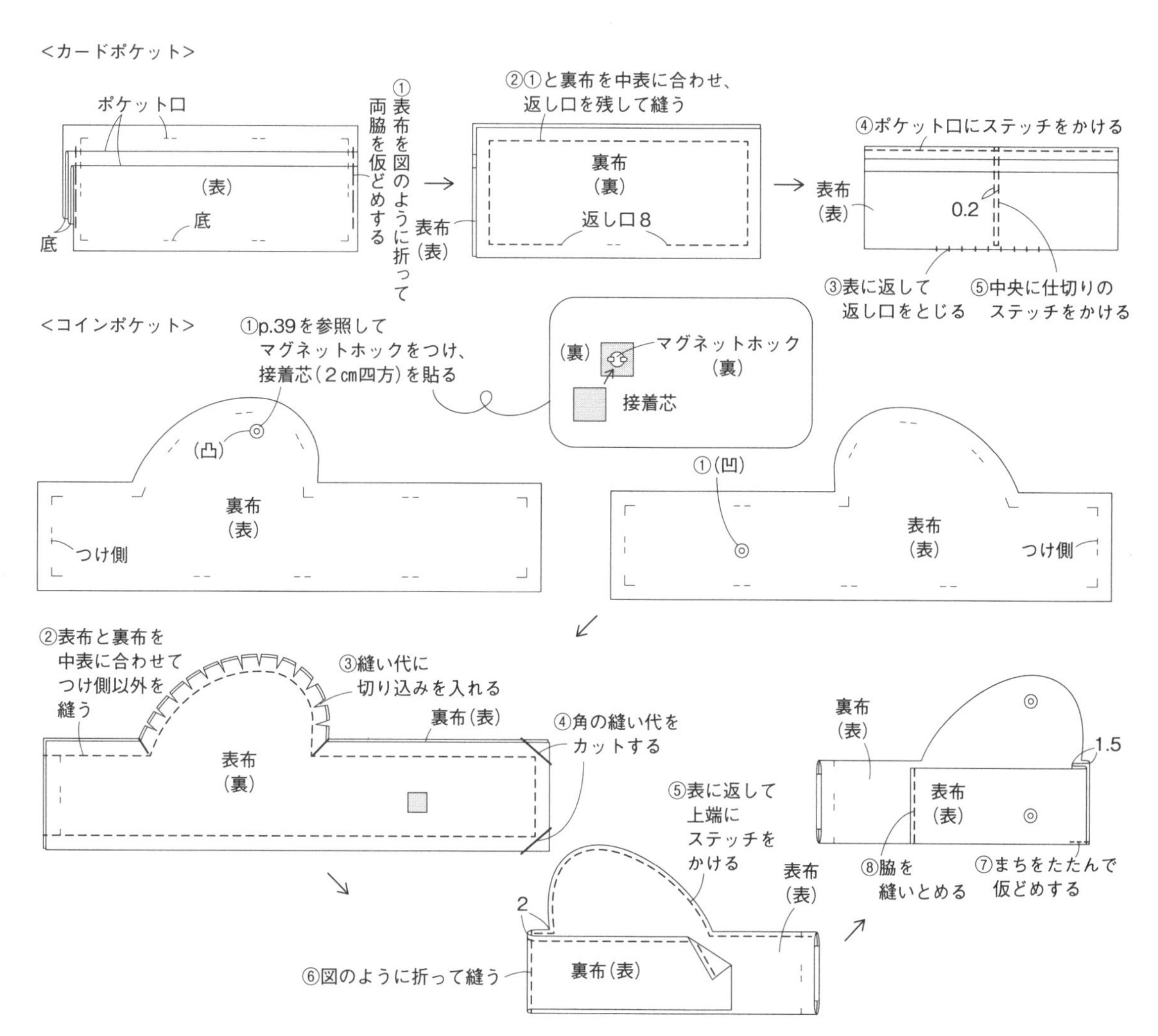
<カードポケット>
ポケット口
(表)
底
底
①表布を図のように折って両脇を仮どめする
②①と裏布を中表に合わせ、返し口を残して縫う
裏布
(裏)
返し口8
表布
(表)
④ポケット口にステッチをかける
表布
(表)
0.2
③表に返して返し口をとじる
⑤中央に仕切りのステッチをかける
<コインポケット>
①p.39を参照してマグネットホックをつけ、接着芯(2㎝四方)を貼る
(裏)
マグネットホック
(裏)
接着芯
(凸)
裏布
(表)
つけ側
①(凹)
表布
(表)
つけ側
②表布と裏布を中表に合わせてつけ側以外を縫う
③縫い代に切り込みを入れる
裏布(表)
④角の縫い代をカットする
表布
(裏)
⑤表に返して上端にステッチをかける
2
⑥図のように折って縫う
裏布(表)
表布
(表)
裏布
(表)
1.5
表布
(表)
⑧脇を縫いとめる
⑦まちをたたんで仮どめする

2 本体表布と裏布を作ります

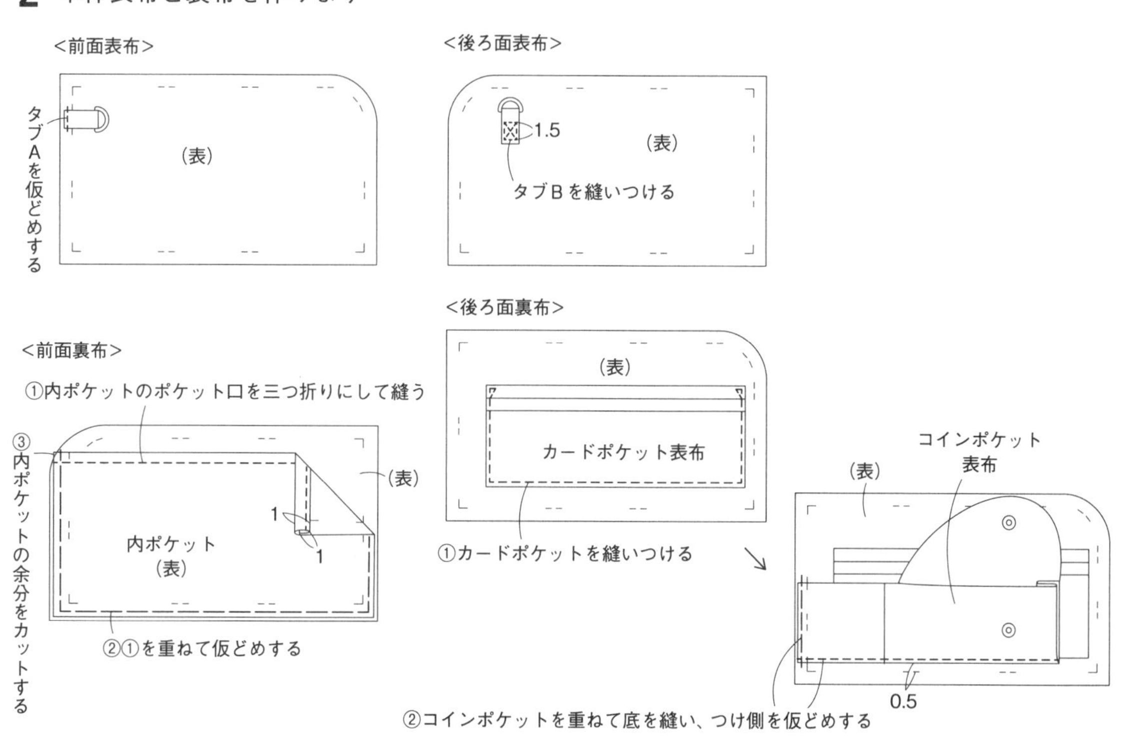
<前面表布>
タブAを仮どめする
(表)
<後ろ面表布>
1.5
(表)
タブBを縫いつける
<前面裏布>
①内ポケットのポケット口を三つ折りにして縫う
③内ポケットの余分をカットする
(表)
1
1
内ポケット
(表)
②①を重ねて仮どめする
<後ろ面裏布>
(表)
カードポケット表布
①カードポケットを縫いつける
コインポケット
表布
(表)
0.5
②コインポケットを重ねて底を縫い、つけ側を仮どめする

3 まとめます

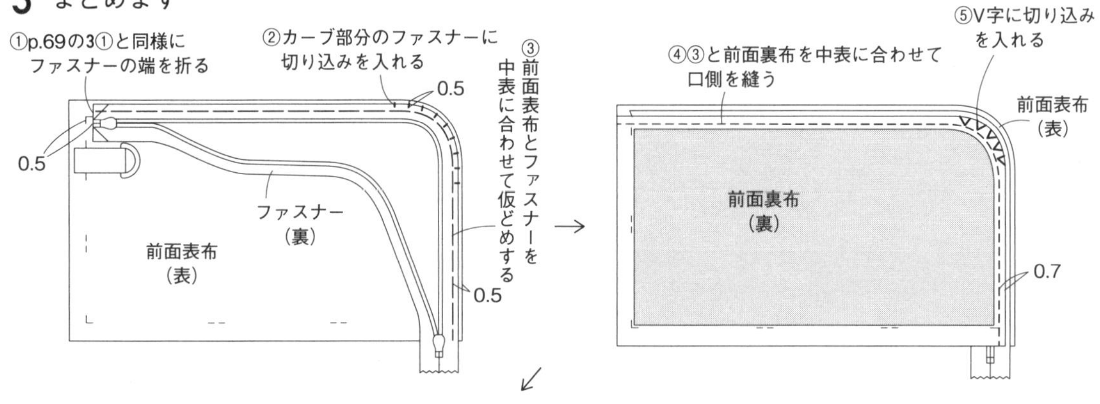
①p.69の3①と同様に
ファスナーの端を折る
②カーブ部分のファスナーに
切り込みを入れる
③前面表布とファスナーを中表に合わせて仮どめする
0.5
0.5
0.5
ファスナー
(裏)
前面表布
(表)
④③と前面裏布を中表に合わせて
口側を縫う
⑤V字に切り込み
を入れる
前面表布
(表)
前面裏布
(裏)
0.7

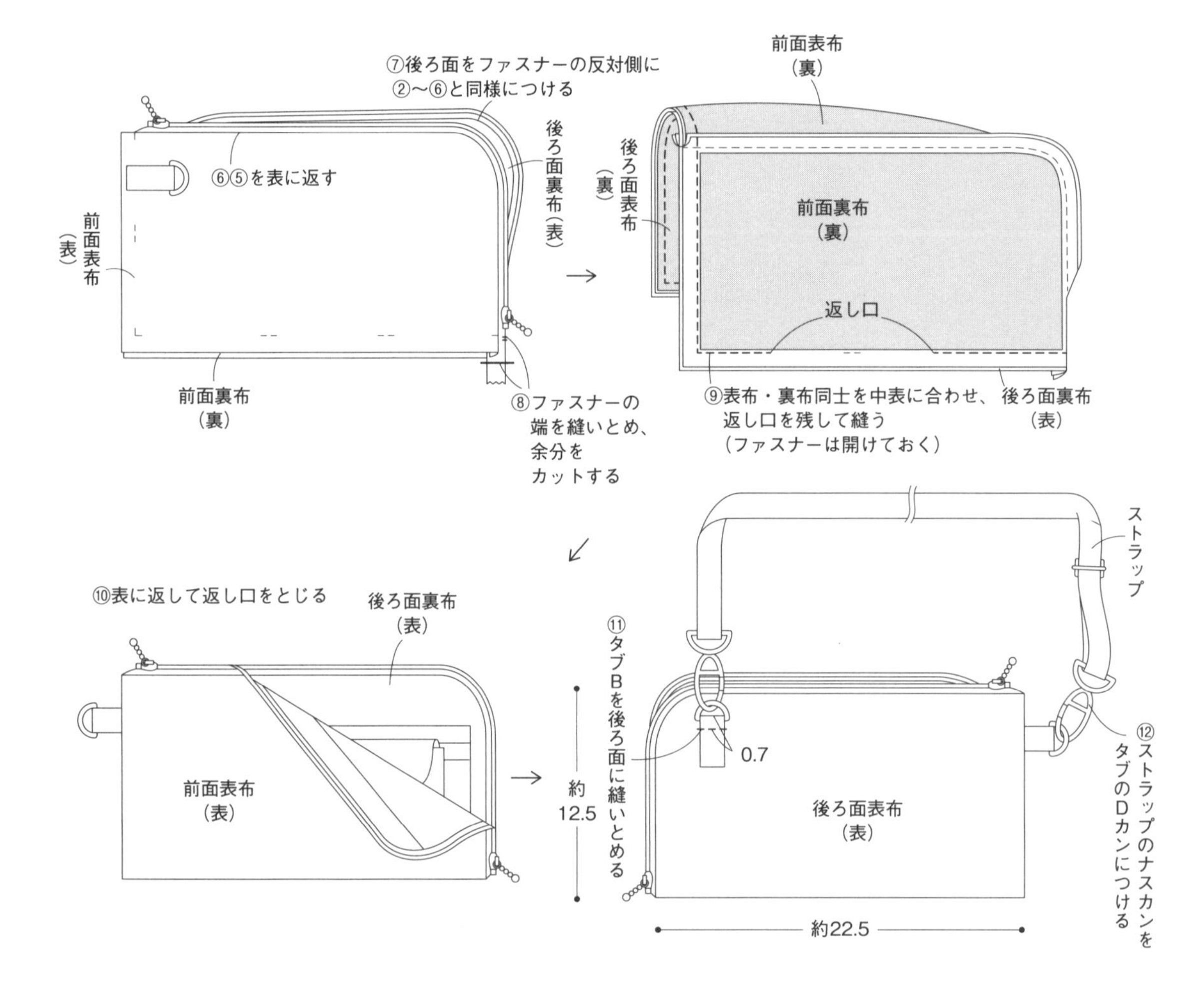
⑦後ろ面をファスナーの反対側に
②〜⑥と同様につける
⑥⑤を表に返す
後ろ面裏布(表)
前面表布(表)
前面裏布
(裏)
⑧ファスナーの
端を縫いとめ、
余分を
カットする
前面表布
(裏)
後ろ面表布(裏)
前面裏布
(裏)
返し口
⑨表布・裏布同士を中表に合わせ、
返し口を残して縫う
(ファスナーは開けておく)
後ろ面裏布
(表)
⑩表に返して返し口をとじる
後ろ面裏布
(表)
前面表布
(表)
約
12.5
⑪タブBを後ろ面に縫いとめる
0.7
ストラップ
後ろ面表布
(表)
⑫ストラップのナスカンをタブのDカンにつける
約22.5

p.14 13 L字ファスナーの財布

実物大型紙 B 面

【材料】
リバティプリント　40×15cm
コットンリネン　50×30cm
接着芯　40×15cm
ファスナー　2.4cm幅、長さ20cm1本
Dカン　1.5cm幅　1個
マグネットホック(差し込みタイプ)
1cm径　1組

裁ち方図

※数字の単位はcm
※縫い代は指定以外１cm
※▢は接着芯を貼る

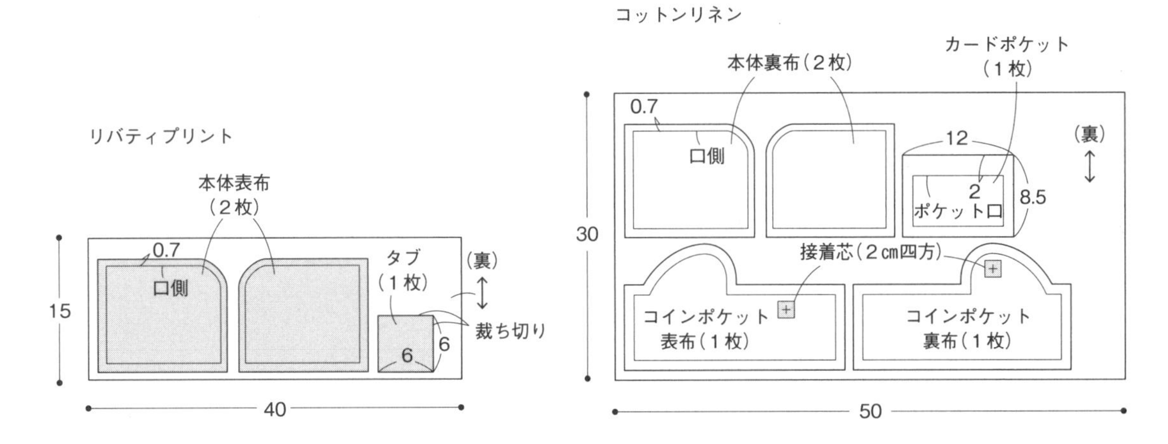

リバティプリント
本体表布
（２枚）
0.7
口側
タブ
（１枚）
（裏）
15
6
6
裁ち切り
40
コットンリネン
本体裏布（２枚）
カードポケット
（１枚）
0.7
口側
12
（裏）
2
ポケット口
8.5
30
接着芯（２cm四方）
コインポケット
表布（１枚）
コインポケット
裏布（１枚）
50

作り方

1 各パーツを作ります

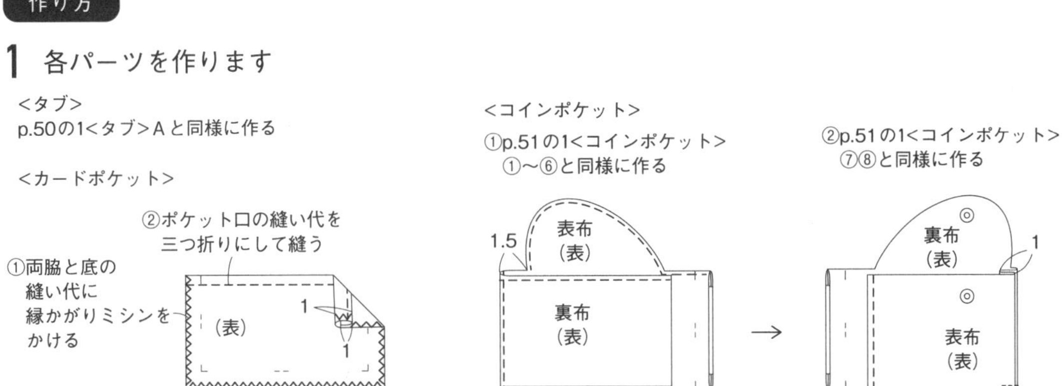

<タブ>
p.50の1<タブ>Aと同様に作る
<カードポケット>
②ポケット口の縫い代を
三つ折りにして縫う
①両脇と底の
縫い代に
縁かがりミシンを
かける
（表）
1
1
<コインポケット>
①p.51の1<コインポケット>
①～⑥と同様に作る
1.5
表布
（表）
裏布
（表）
②p.51の1<コインポケット>
⑦⑧と同様に作る
裏布
（表）
1
表布
（表）

2 前面表布と後ろ面裏布を作ります

<後ろ面裏布>

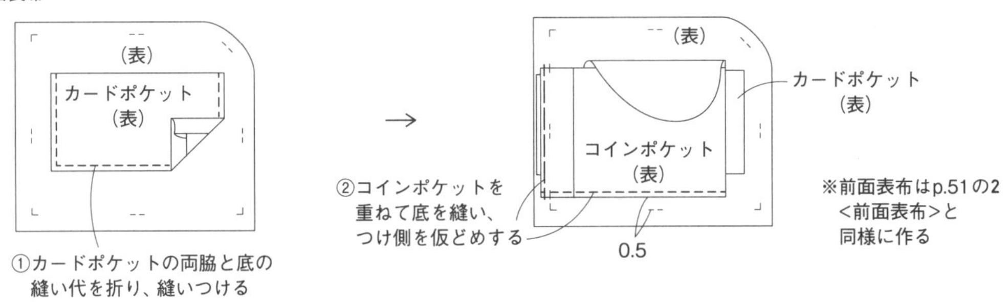

（表）
カードポケット
（表）
①カードポケットの両脇と底の
縫い代を折り、縫いつける
（表）
カードポケット
（表）
コインポケット
（表）
②コインポケットを
重ねて底を縫い、
つけ側を仮どめする
0.5
※前面表布はp.51の2
<前面表布>と
同様に作る

3 まとめます

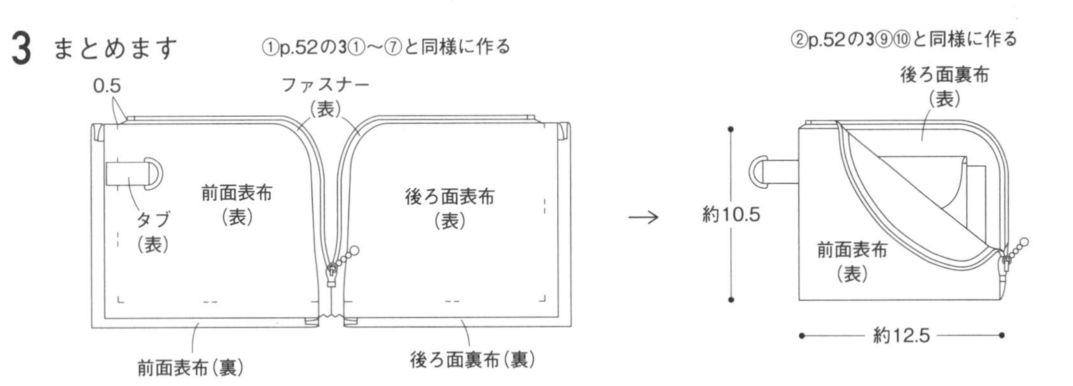

①p.52の3①～⑦と同様に作る
0.5
ファスナー
（表）
前面表布
（表）
タブ
（表）
後ろ面表布
（表）
前面表布（裏）
後ろ面裏布（裏）
②p.52の3⑨⑩と同様に作る
後ろ面裏布
（表）
約10.5
前面表布
（表）
約12.5

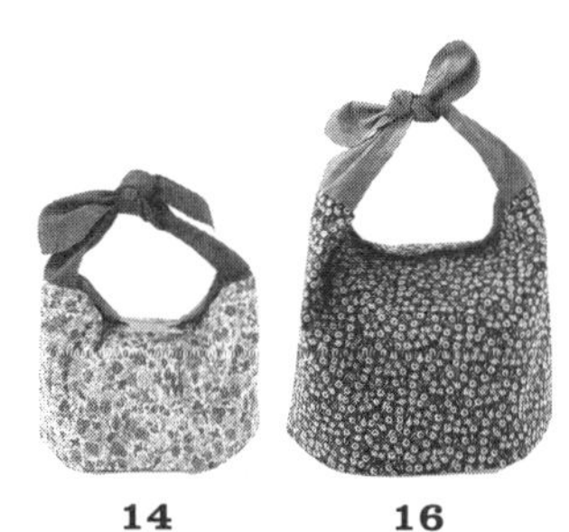
14
16

p.16 **14** 実物大型紙 A 面

保温保冷ランチバッグ

p.18 **16** 実物大型紙 A 面

保温保冷お重バッグ

【材料】

14

リバティプリント　70㎝×30㎝
リネン　40×25㎝
コットン　80×30㎝
保温保冷シート　40×55㎝
ブロック型スナップテープ
2㎝幅×6㎝1組

16

リバティプリント　100㎝×40㎝
リネン　55×35㎝
コットン　85×35㎝
保温保冷シート　55×90㎝
ブロック型スナップテープ
2㎝幅×6㎝1組

裁ち方図

※数字の単位は㎝　※縫い代は1㎝つける　※[ ]内は**14**、指定以外は**14**・**16**共通

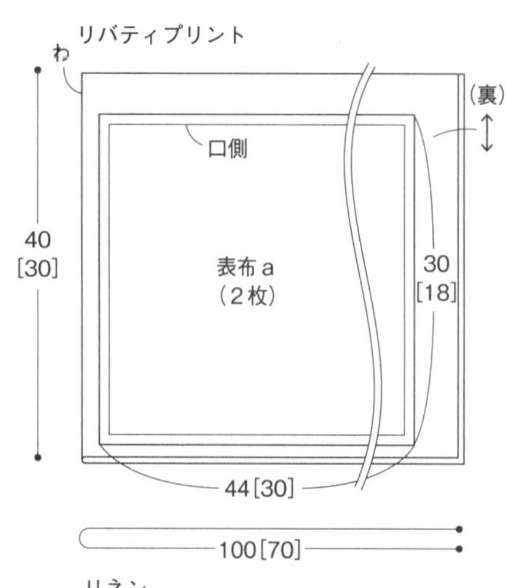
リバティプリント
わ
(裏)
口側
40
[30]
表布a
(2枚)
30
[18]
44[30]
100[70]

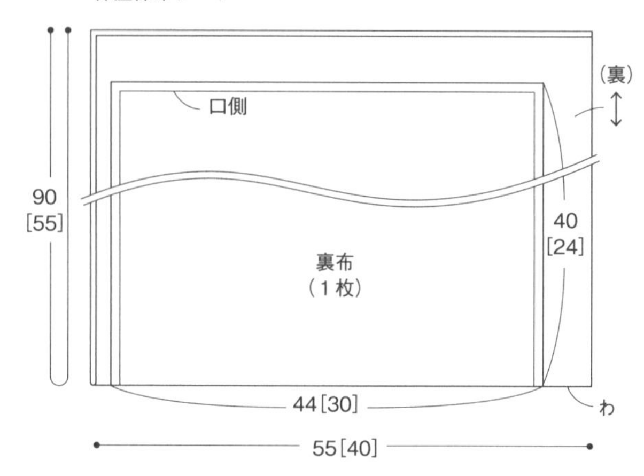
保温保冷シート
(裏)
口側
90
[55]
40
[24]
裏布
(1枚)
44[30]
わ
55[40]

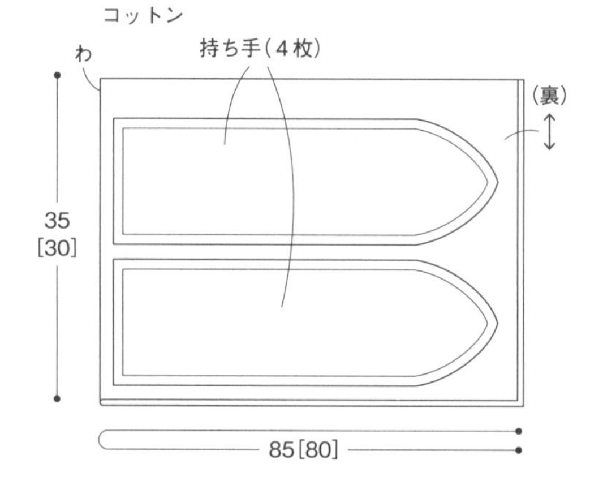
リネン
わ
(裏)
35
[25]
表布b
(1枚)
24
[16]
22[15]
55[40]
コットン
わ
持ち手(4枚)
(裏)
35
[30]
85[80]

作り方

1 持ち手を作ります

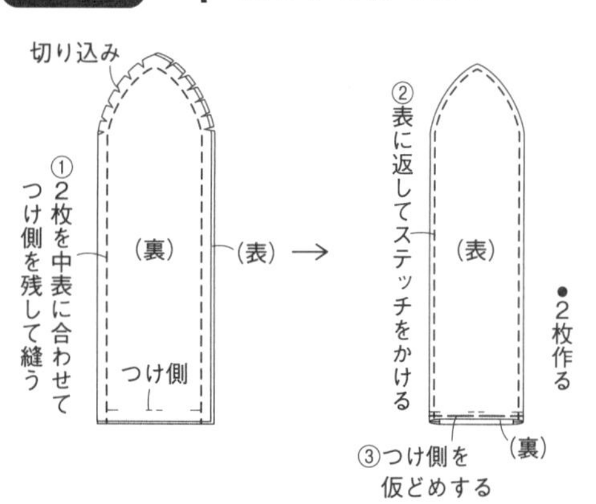
切り込み
①2枚を中表に合わせてつけ側を残して縫う
(裏)
(表)
つけ側
②表に返してステッチをかける
(表)
●2枚作る
③つけ側を仮どめする
(裏)

2 裏袋を作ります

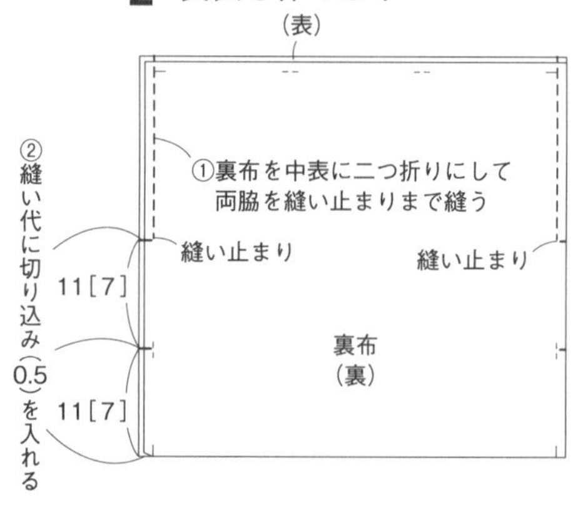
(表)
①裏布を中表に二つ折りにして
両脇を縫い止まりまで縫う
②縫い代に切り込み(0.5)を入れる
縫い止まり
縫い止まり
11[7]
11[7]
裏布
(裏)

3 表袋を作ります

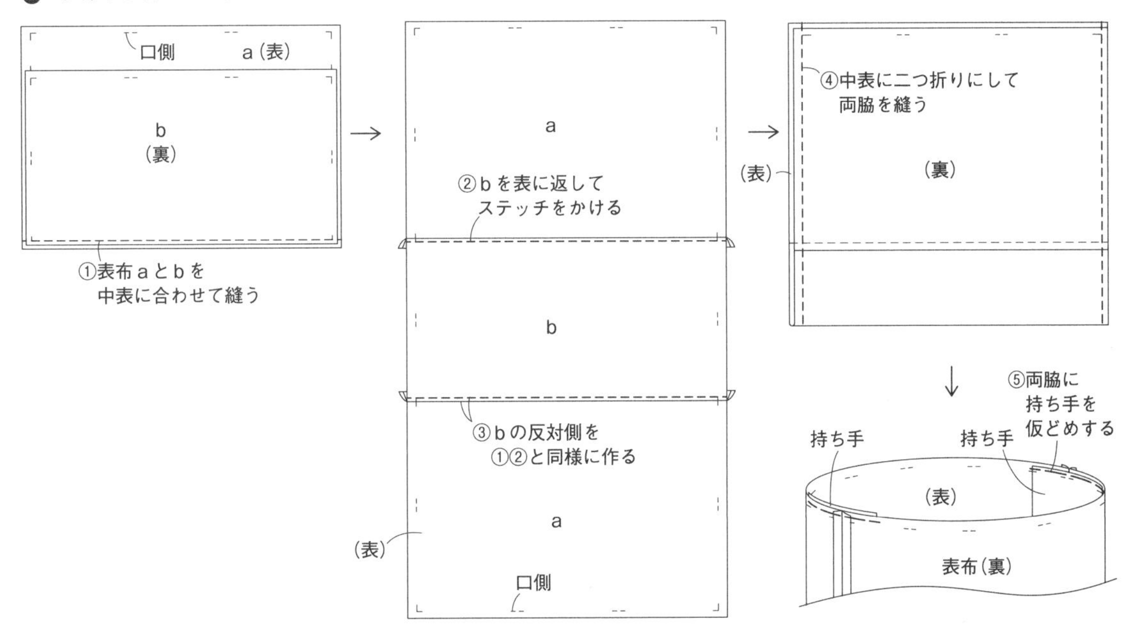

口側
a（表）
b
（裏）
①表布aとbを
中表に合わせて縫う
a
②bを表に返して
ステッチをかける
b
③bの反対側を
①②と同様に作る
a
（表）
口側
④中表に二つ折りにして
両脇を縫う
（表）
（裏）
⑤両脇に
持ち手を
仮どめする
持ち手
持ち手
（表）
表布（裏）

4 まとめます

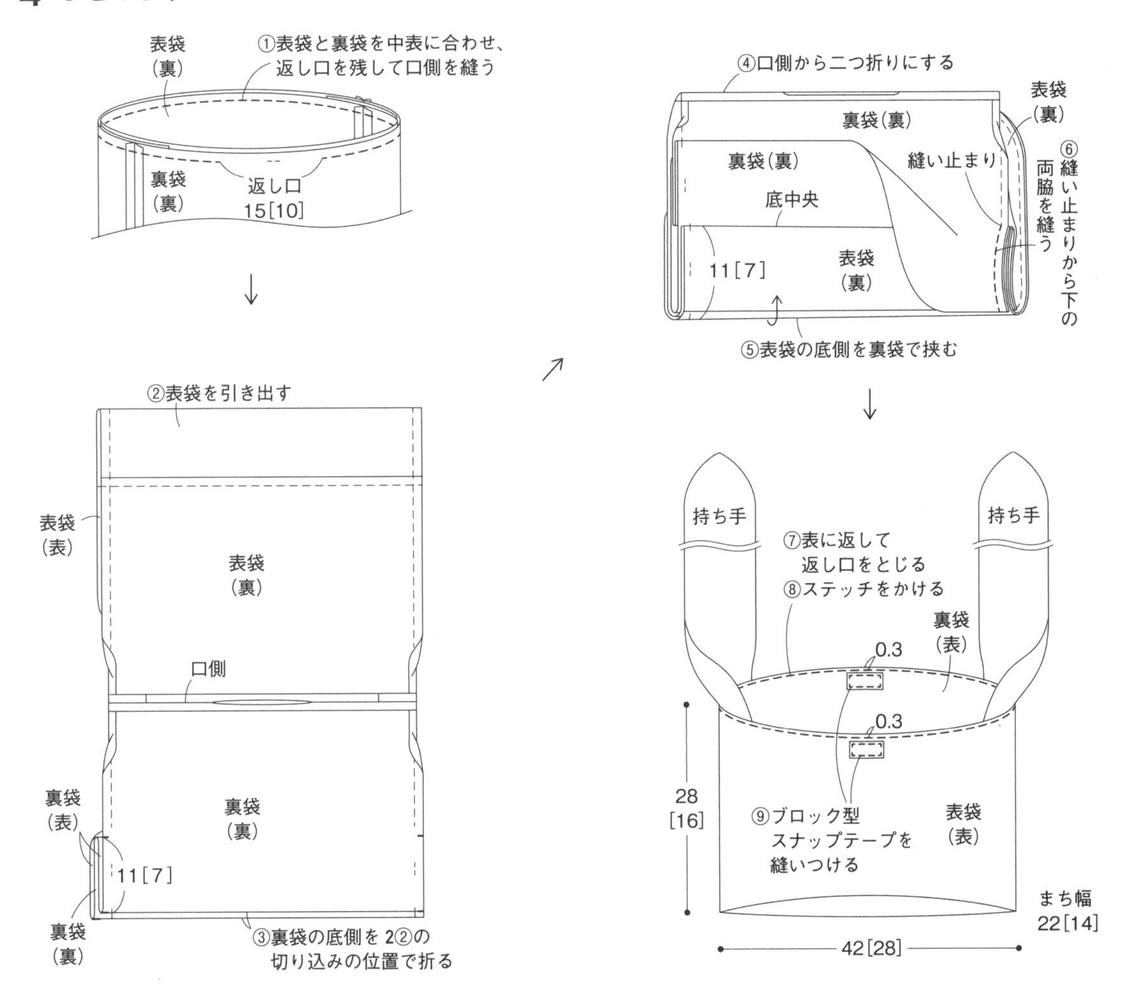

表袋
（裏）
①表袋と裏袋を中表に合わせ、
返し口を残して口側を縫う
裏袋
（裏）
返し口
15［10］
②表袋を引き出す
表袋
（表）
表袋
（裏）
口側
裏袋
（表）
裏袋
（裏）
11［7］
裏袋
（裏）
③裏袋の底側を2②の
切り込みの位置で折る
④口側から二つ折りにする
表袋
（裏）
裏袋（裏）
裏袋（裏）
縫い止まり
底中央
11［7］
表袋
（裏）
⑥縫い止まりから下の両脇を縫う
⑤表袋の底側を裏袋で挟む
持ち手
持ち手
⑦表に返して
返し口をとじる
⑧ステッチをかける
裏袋
（表）
0.3
0.3
28
［16］
⑨ブロック型
スナップテープを
縫いつける
表袋
（表）
まち幅
22［14］
42［28］

15　17

p.16 **15** 保温保冷 ペットボトルカバー

p.18 **17** 保温保冷 スープジャーカバー

【材料】

15

- リバティプリント　40㎝×30㎝
- リネン　25×20㎝
- コットン　50×30㎝
- 保温保冷シート　20×50㎝
- ひも　0.2㎝径40㎝
- Dカン　2㎝幅2個
- プラスチック製スナップ　1.3㎝径2組
- コードストッパー　1個組

17

- リバティプリント　50×25㎝
- リネン　30×25㎝
- コットン　60×35㎝
- 保温保冷シート　30×45㎝
- ひも　0.2㎝径50㎝
- Dカン　2㎝幅2個
- プラスチック製スナップ　1.3㎝径2組
- コードストッパー　1個

裁ち方図

※数字の単位は㎝　※縫い代は指定以外1㎝
※[ ]内は**15**、指定以外は**15・17**共通

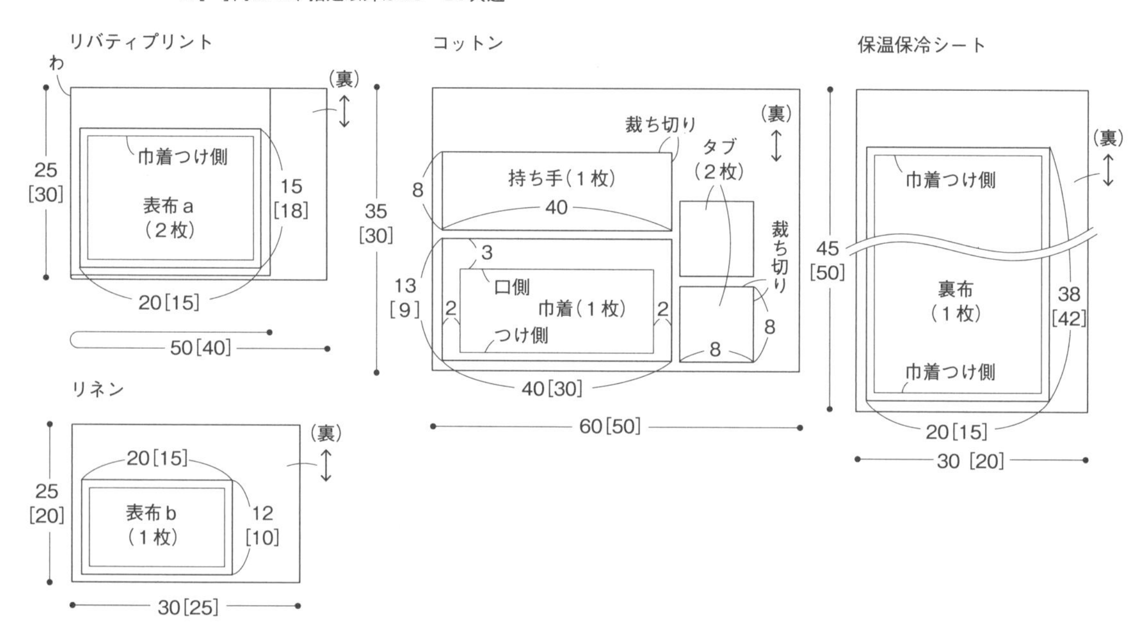

リバティプリント
わ
(裏)
25 [30]
巾着つけ側
表布a (2枚)
15 [18]
20[15]
50[40]
リネン
(裏)
25 [20]
20[15]
表布b (1枚)
12 [10]
30[25]
コットン
裁ち切り
(裏)
タブ (2枚)
35 [30]
8
持ち手(1枚)
40
裁ち切り
13 [9]
3
口側
2
巾着(1枚)
2
つけ側
8
8
40[30]
60[50]
保温保冷シート
(裏)
45 [50]
巾着つけ側
裏布 (1枚)
38 [42]
巾着つけ側
20[15]
30 [20]

作り方

1 各パーツを作ります

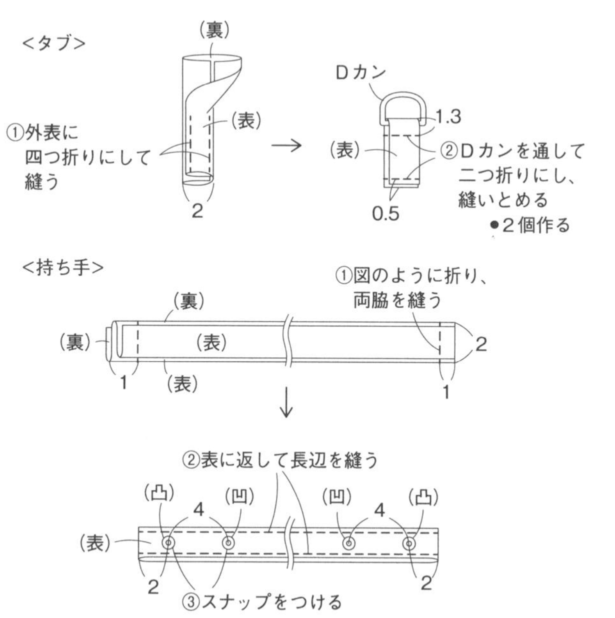

<タブ>
(裏)
(表)
①外表に四つ折りにして縫う
2
Dカン
1.3
(表)
②Dカンを通して二つ折りにし、縫いとめる
0.5
●2個作る
<持ち手>
①図のように折り、両脇を縫う
(裏)
(裏)
(表)
(表)
1
2
1
②表に返して長辺を縫う
(凸)
4
(凹)
(凹)
4
(凸)
(表)
2
2
③スナップをつける

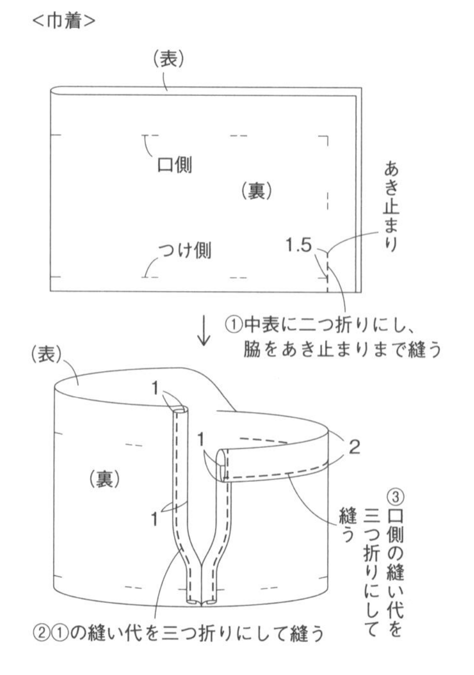

<巾着>
(表)
口側
(裏)
あき止まり
1.5
つけ側
①中表に二つ折りにし、脇をあき止まりまで縫う
(表)
1
1
2
(裏)
1
縫う
③口側の縫い代を三つ折りにして
②①の縫い代を三つ折りにして縫う

2 裏袋を作ります

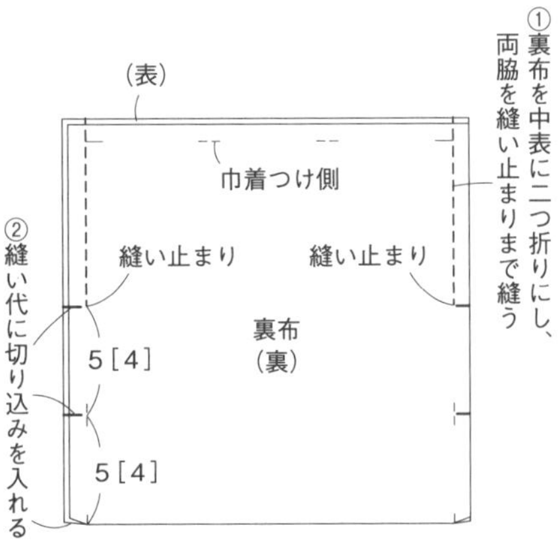

①裏布を中表に二つ折りにし、両脇を縫い止まりまで縫う

(表)
巾着つけ側
縫い止まり
縫い止まり
裏布
(裏)
5[4]
5[4]

②縫い代に切り込みを入れる

3 表袋を作ります

①p.55の3①〜④と同様に作る

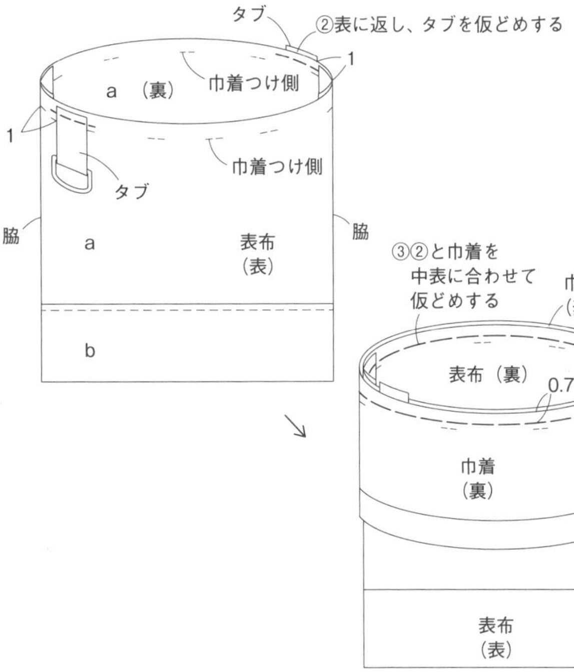

②表に返し、タブを仮どめする

タブ
1
a (裏)
巾着つけ側
1
タブ
巾着つけ側
脇
a
表布
(表)
脇
b

③②と巾着を中表に合わせて仮どめする

巾着
(表)
表布(裏)
0.7
巾着
(裏)
表布
(表)

4 まとめます

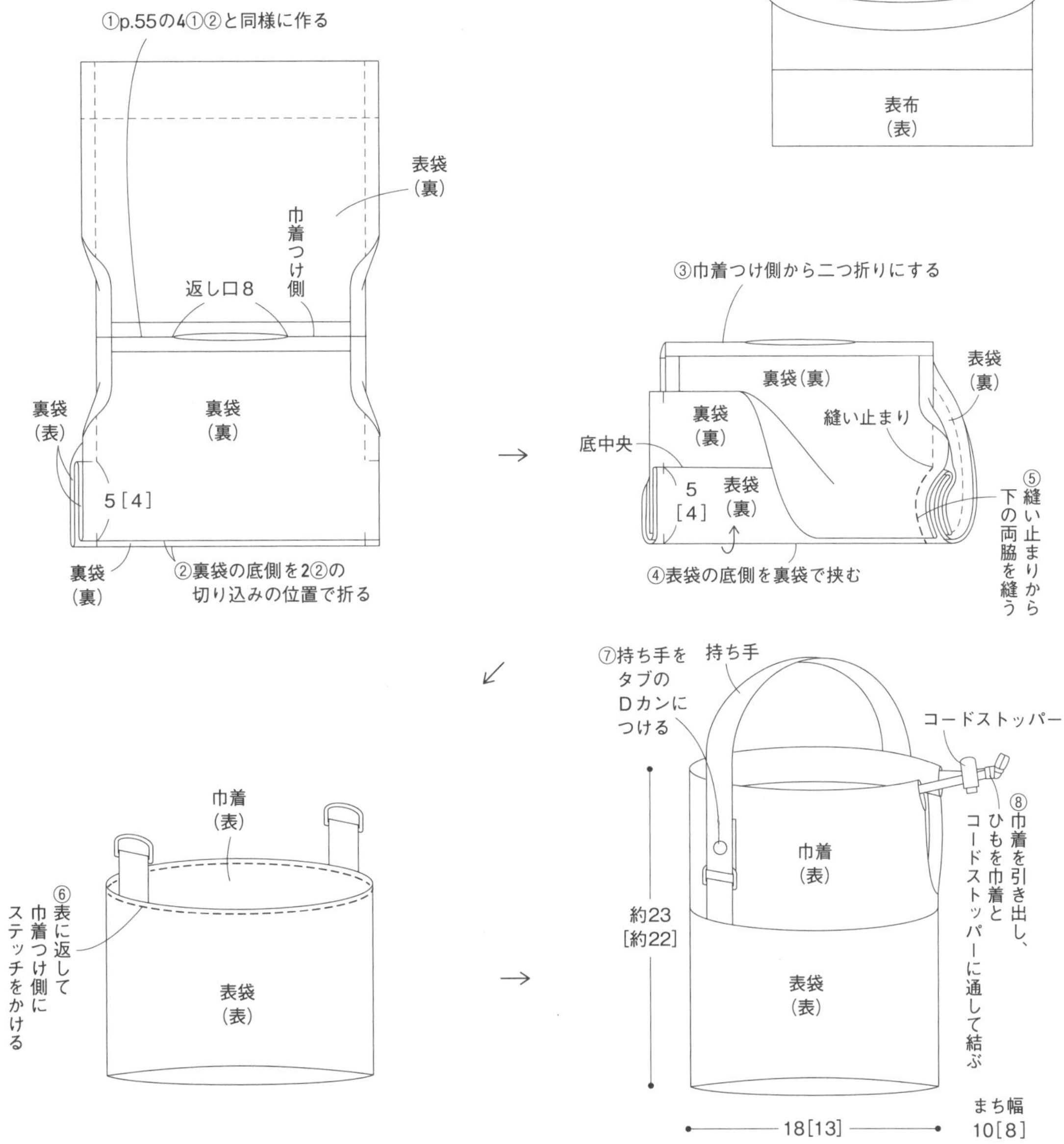

①p.55の4①②と同様に作る

表袋
(裏)
巾着つけ側
返し口8
裏袋
(裏)
裏袋
(表)
5[4]
裏袋
(裏)

②裏袋の底側を2②の切り込みの位置で折る

③巾着つけ側から二つ折りにする

裏袋(裏)
表袋
(裏)
裏袋
(裏)
縫い止まり
底中央
5
[4]
表袋
(裏)

④表袋の底側を裏袋で挟む

⑤縫い止まりから下の両脇を縫う

巾着
(表)
表袋
(表)

⑥表に返して巾着つけ側にステッチをかける

⑦持ち手をタブのDカンにつける

持ち手
コードストッパー
巾着
(表)
約23
[約22]
表袋
(表)
18[13]
まち幅
10[8]

⑧巾着を引き出し、ひもを巾着とコードストッパーに通して結ぶ

p.20 **18,19** まち付きお道具ポーチ　　実物大型紙 A 面

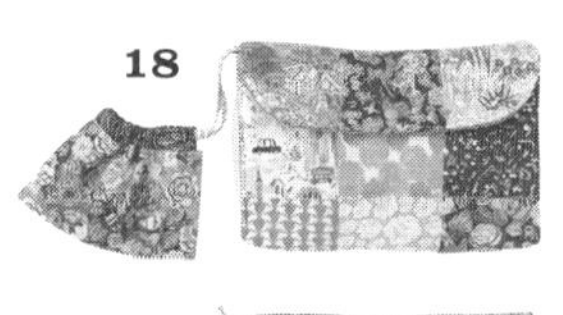

18
19

【材料】

18
リバティプリント
15㎝四方を12種、
10㎝四方・35×10㎝・40×15㎝を各1種
リネン　40×20㎝
コットンリネン　30×45㎝
コットン　60×20㎝
キルト芯　30×45㎝
Dカン　1㎝幅1個
ドットボタン　1㎝径1組

19
リバティプリント
15㎝四方を9種、
10㎝四方・35×10㎝・35×15㎝を各1種
リネン　50×15㎝
コットンリネン　30×40㎝
コットン　60×20㎝
キルト芯　30×40㎝
Dカン　1㎝幅1個
ドットボタン　1㎝径1組

裁ち方図　※数字の単位は㎝　※縫い代は指定以外1㎝　※[ ]内は**19**、指定以外は**18・19**共通

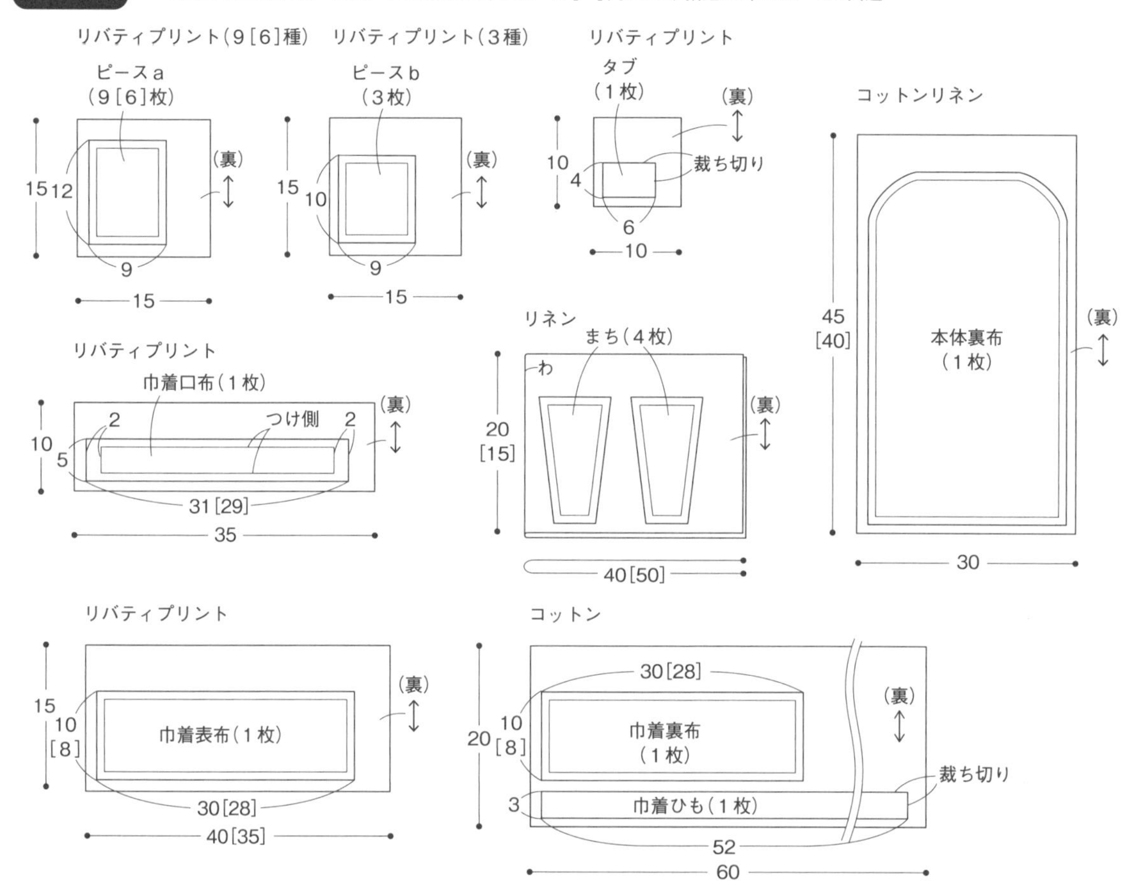

リバティプリント(9[6]種)
ピースa
(9[6]枚)
15
12
9
15
(裏)
リバティプリント(3種)
ピースb
(3枚)
15
10
9
15
(裏)
リバティプリント
タブ
(1枚)
10
4
6
10
(裏)
裁ち切り
コットンリネン
本体裏布
(1枚)
45
[40]
30
(裏)
リバティプリント
巾着口布(1枚)
10
5
2
つけ側
2
31[29]
35
(裏)
リネン
まち(4枚)
わ
20
[15]
40[50]
(裏)
リバティプリント
巾着表布(1枚)
15
10
[8]
30[28]
40[35]
(裏)
コットン
30[28]
巾着裏布
(1枚)
10
[8]
20
3
巾着ひも(1枚)
52
60
(裏)
裁ち切り

作り方　**1** 各パーツを作ります

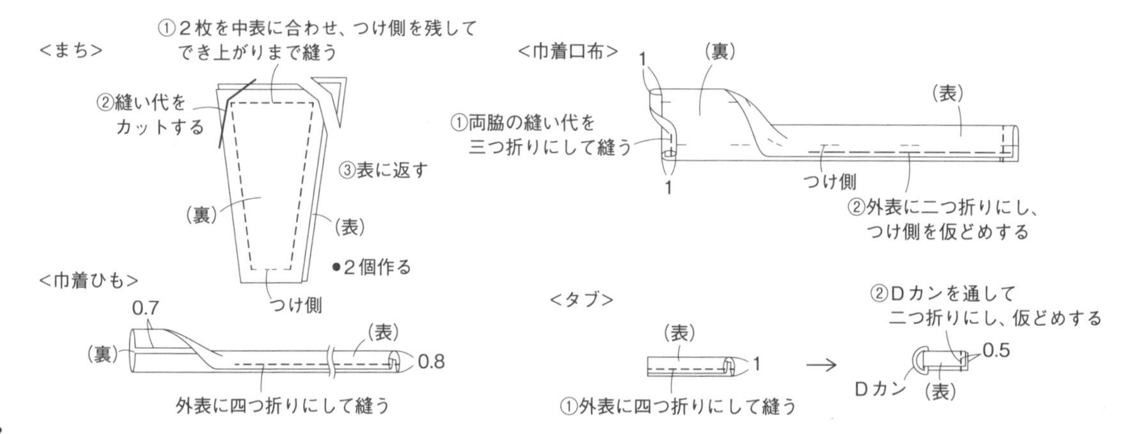

<まち>
①2枚を中表に合わせ、つけ側を残して
でき上がりまで縫う
②縫い代を
カットする
③表に返す
(裏)
(表)
つけ側
●2個作る
<巾着口布>
1
(裏)
(表)
①両脇の縫い代を
三つ折りにして縫う
1
つけ側
②外表に二つ折りにし、
つけ側を仮どめする
<巾着ひも>
0.7
(裏)
(表)
0.8
外表に四つ折りにして縫う
<タブ>
(表)
1
①外表に四つ折りにして縫う
②Dカンを通して
二つ折りにし、仮どめする
0.5
Dカン
(表)

2 巾着を作ります

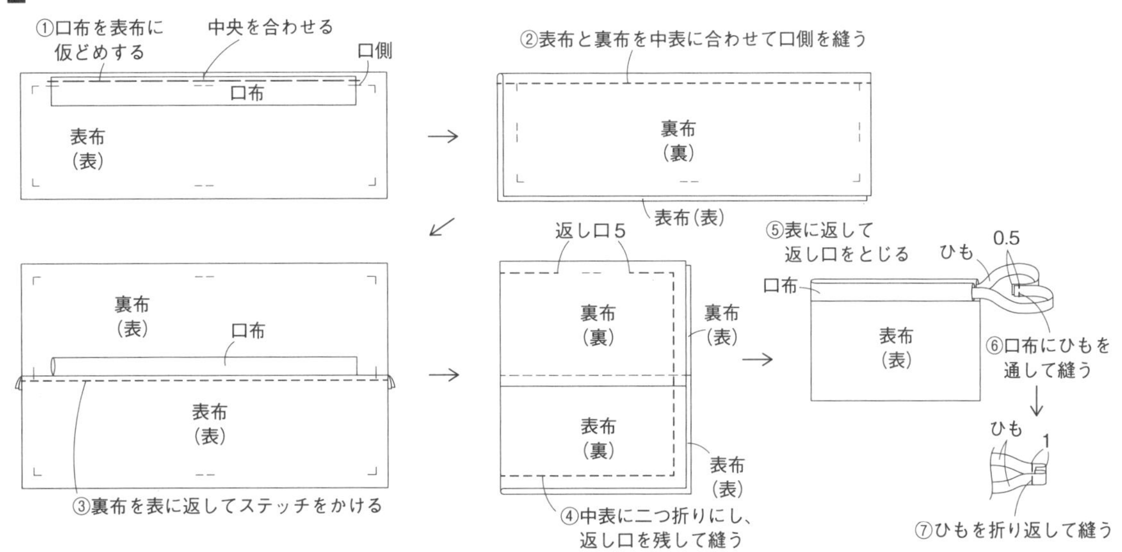

①口布を表布に
仮どめする
中央を合わせる
口側
口布
表布
(表)
②表布と裏布を中表に合わせて口側を縫う
裏布
(裏)
表布(表)
裏布
(表)
口布
表布
(表)
③裏布を表に返してステッチをかける
返し口5
裏布
(裏)
裏布
(表)
表布
(裏)
表布
(表)
④中表に二つ折りにし、
返し口を残して縫う
⑤表に返して
返し口をとじる
ひも
0.5
口布
表布
(表)
⑥口布にひもを
通して縫う
ひも
1
⑦ひもを折り返して縫う

3 本体を作り、まとめます

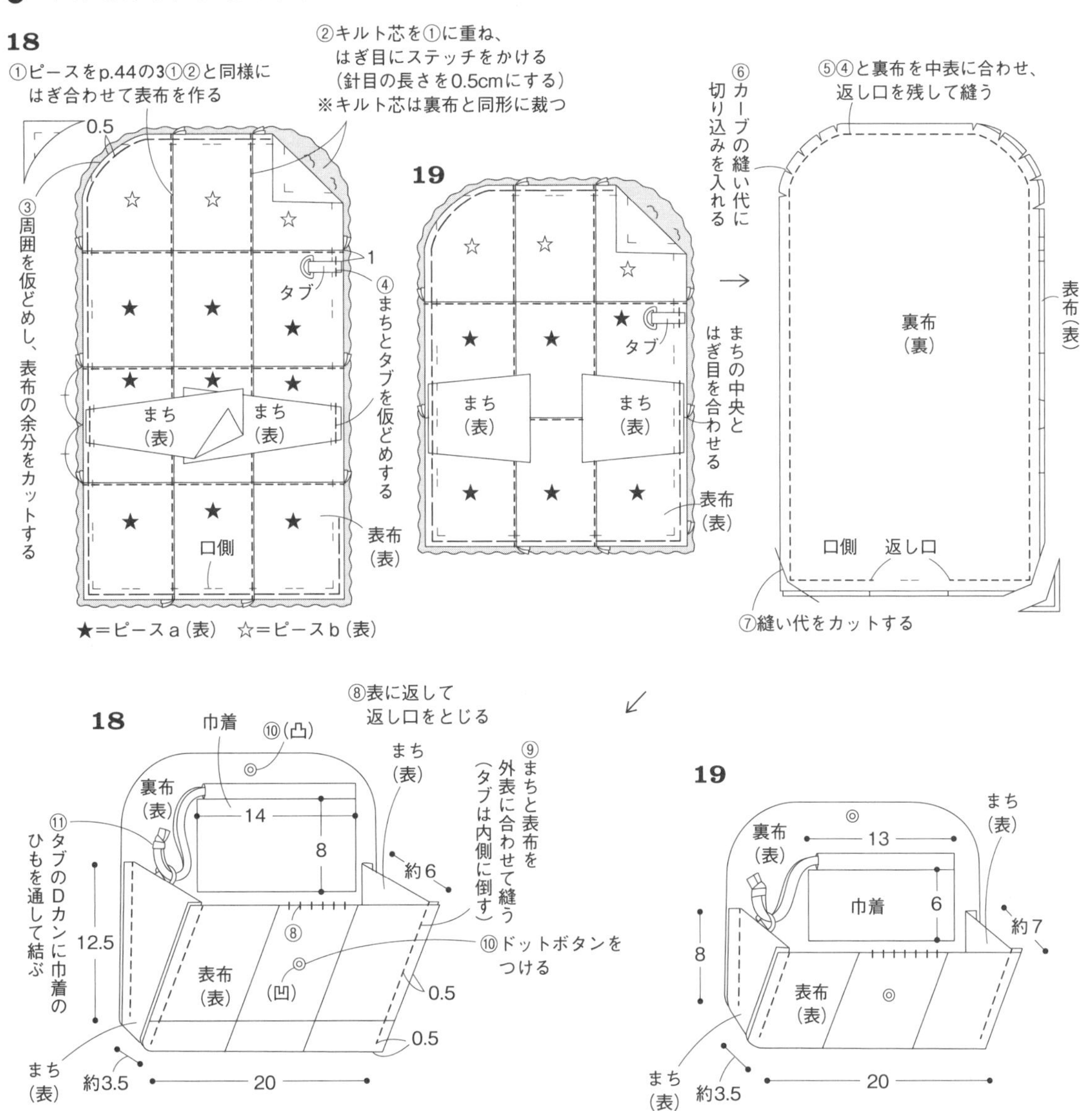

18
①ピースをp.44の3①②と同様に
はぎ合わせて表布を作る
②キルト芯を①に重ね、
はぎ目にステッチをかける
(針目の長さを0.5cmにする)
※キルト芯は裏布と同形に裁つ
0.5
③周囲を仮どめし、表布の余分をカットする
タブ
1
④まちとタブを仮どめする
まち
(表)
まち
(表)
口側
表布
(表)
★=ピースa(表) ☆=ピースb(表)
19
タブ
まち
(表)
まち
(表)
まちの中央と
はぎ目を合わせる
表布
(表)
⑥カーブの縫い代に
切り込みを入れる
⑤④と裏布を中表に合わせ、
返し口を残して縫う
裏布
(裏)
表布(表)
口側
返し口
⑦縫い代をカットする
⑧表に返して
返し口をとじる
18
巾着
⑩(凸)
まち
(表)
裏布
(表)
⑪タブのDカンに巾着のひもを通して結ぶ
14
8
⑨まちと表布を
外表に合わせて縫う
(タブは内側に倒す)
約6
12.5
⑧
⑩ドットボタンを
つける
表布
(表)
(凹)
0.5
0.5
まち
(表)
約3.5
20
19
まち
(表)
裏布
(表)
13
巾着
6
約7
8
表布
(表)
まち
(表)
約3.5
20

p.22 **20** 楕円底のバニティポーチ

実物大型紙 B 面

【材料】 リバティプリント 110cm幅×40cm
キルティング地 110cm幅×40cm
コットンA 25×30cm
コットンB 20×25cm
接着芯 110×40cm
縁どりバイアステープ 1.1cm幅1.4m
両開きコイルファスナー 2.4cm幅、長さ60cm1本
ファスナー 2.5cm幅、長さ12cm1本

裁ち方図

※数字の単位はcm ※縫い代は指定以外1cm ※▢は接着芯を貼る

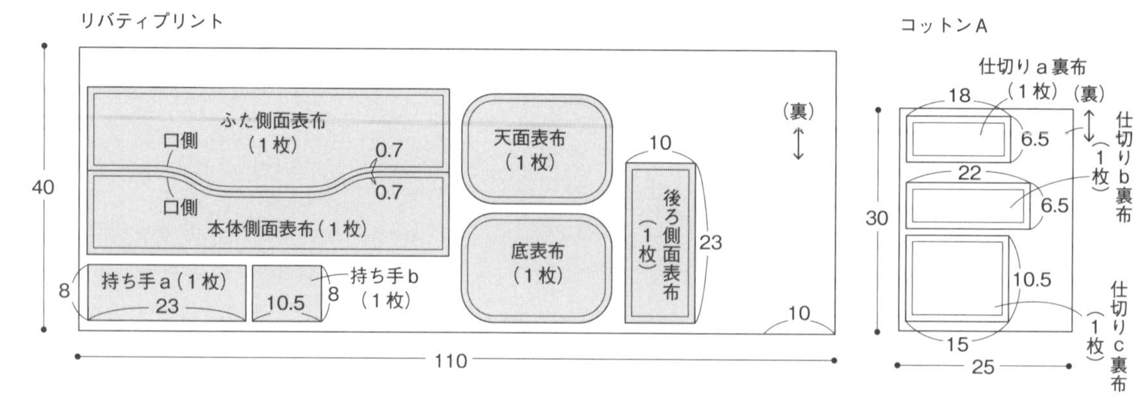

リバティプリント
ふた側面表布（1枚）
口側
0.7
0.7
口側
本体側面表布（1枚）
天面表布（1枚）
底表布（1枚）
後ろ側面表布（1枚）
10
23
(裏)
持ち手a（1枚）
23
8
持ち手b（1枚）
10.5
8
10
40
110
コットンA
仕切りa裏布（1枚）
(裏)
18
6.5
22
6.5
仕切りb裏布（1枚）
10.5
15
仕切りc裏布（1枚）
30
25

キルティング地 ふた側面裏布は接着芯を貼り、ポケット口の切り込み位置に印をつける

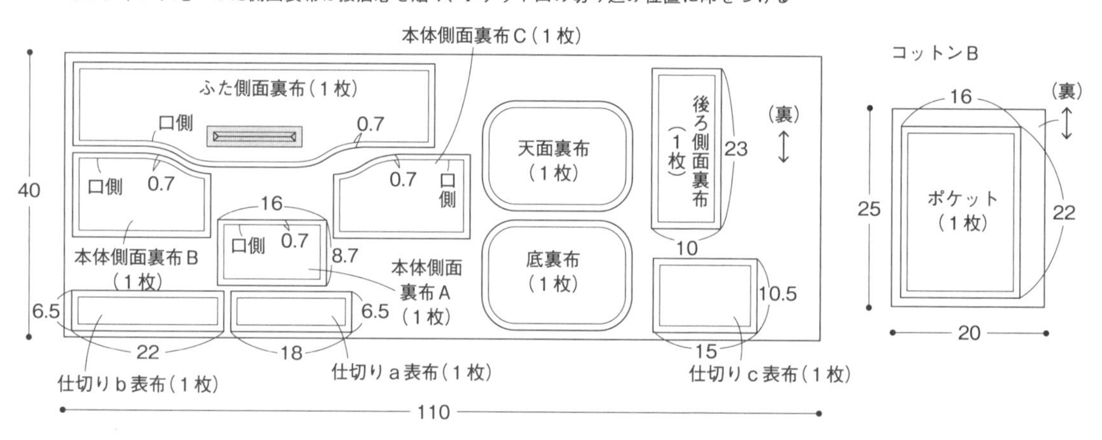

本体側面裏布C（1枚）
ふた側面裏布（1枚）
口側
0.7
口側
0.7
0.7
口側
本体側面裏布B（1枚）
16
口側
0.7
8.7
本体側面裏布A（1枚）
天面裏布（1枚）
底裏布（1枚）
後ろ側面裏布（1枚）
23
10
(裏)
10.5
15
仕切りc表布（1枚）
6.5
22
仕切りb表布（1枚）
6.5
18
仕切りa表布（1枚）
40
110
コットンB
16
(裏)
ポケット（1枚）
22
25
20

作り方

※［ ］内は小の寸法、指定以外は大小共通

1 各パーツを作ります

<持ち手a>
①外表に四つ折りにして中央を縫う
(表)
2
6［5］
6［5］

<仕切りa>
①表布と裏布を中表に合わせて長辺を縫う
②縫い代をカットする
1
0.5
表布(表)
裏布(裏)
→
表布(表)
裏布(裏)
③表に返してステッチをかける
※仕切りb・cは同様に作る

<天面>
①表布と裏布を外表に合わせて周囲を仮どめする
裏布(裏)
表布(表)
6［5］
6［5］
持ち手a
②持ち手aを中央に縫いつける
※底は①と同様に作る

<後ろ側面表布>
①持ち手bを外表に四つ折りにして長辺を縫う
口側
7［1］
②①を仮どめする
2
持ち手b(表)
後ろ側面表布(表)

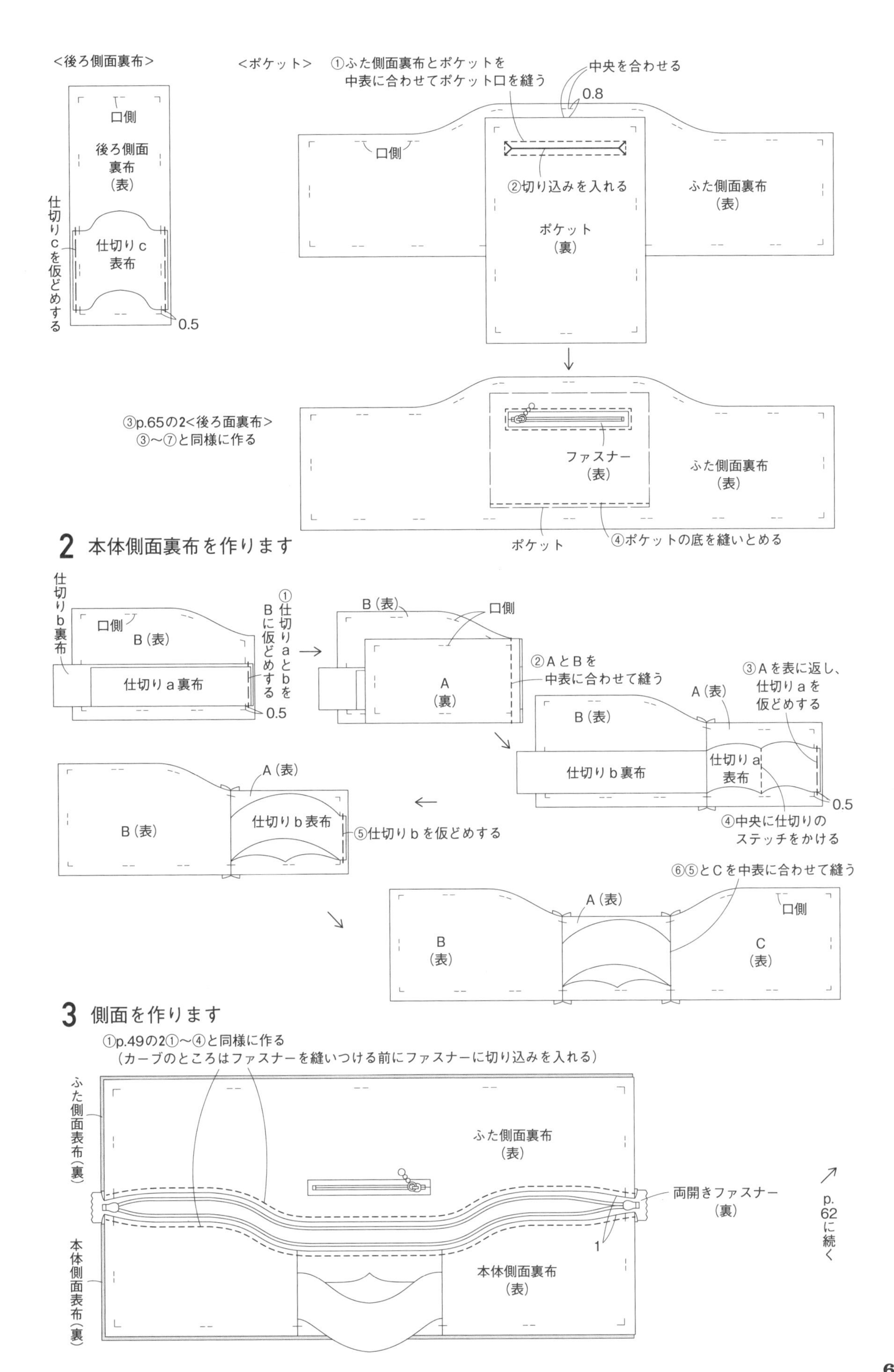

<後ろ側面裏布>
口側
後ろ側面
裏布
（表）
仕切りcを仮どめする
仕切りc
表布
0.5
<ポケット>
①ふた側面裏布とポケットを
中表に合わせてポケット口を縫う
中央を合わせる
0.8
口側
②切り込みを入れる
ふた側面裏布
（表）
ポケット
（裏）
③p.65の2<後ろ面裏布>
③〜⑦と同様に作る
ファスナー
（表）
ふた側面裏布
（表）
ポケット
④ポケットの底を縫いとめる

2 本体側面裏布を作ります

仕切りb裏布
口側
B（表）
仕切りa裏布
①仕切りaとbをBに仮どめする
0.5
B（表）
口側
A
（裏）
②AとBを
中表に合わせて縫う
③Aを表に返し、
仕切りaを
仮どめする
A（表）
B（表）
仕切りb裏布
仕切りa
表布
0.5
④中央に仕切りの
ステッチをかける
A（表）
B（表）
仕切りb表布
⑤仕切りbを仮どめする
⑥⑤とCを中表に合わせて縫う
A（表）
口側
B
（表）
C
（表）

3 側面を作ります

①p.49の2①〜④と同様に作る
（カーブのところはファスナーを縫いつける前にファスナーに切り込みを入れる）
ふた側面表布（裏）
ふた側面裏布
（表）
両開きファスナー
（裏）
1
本体側面表布（裏）
本体側面裏布
（表）

↗ p.62に続く

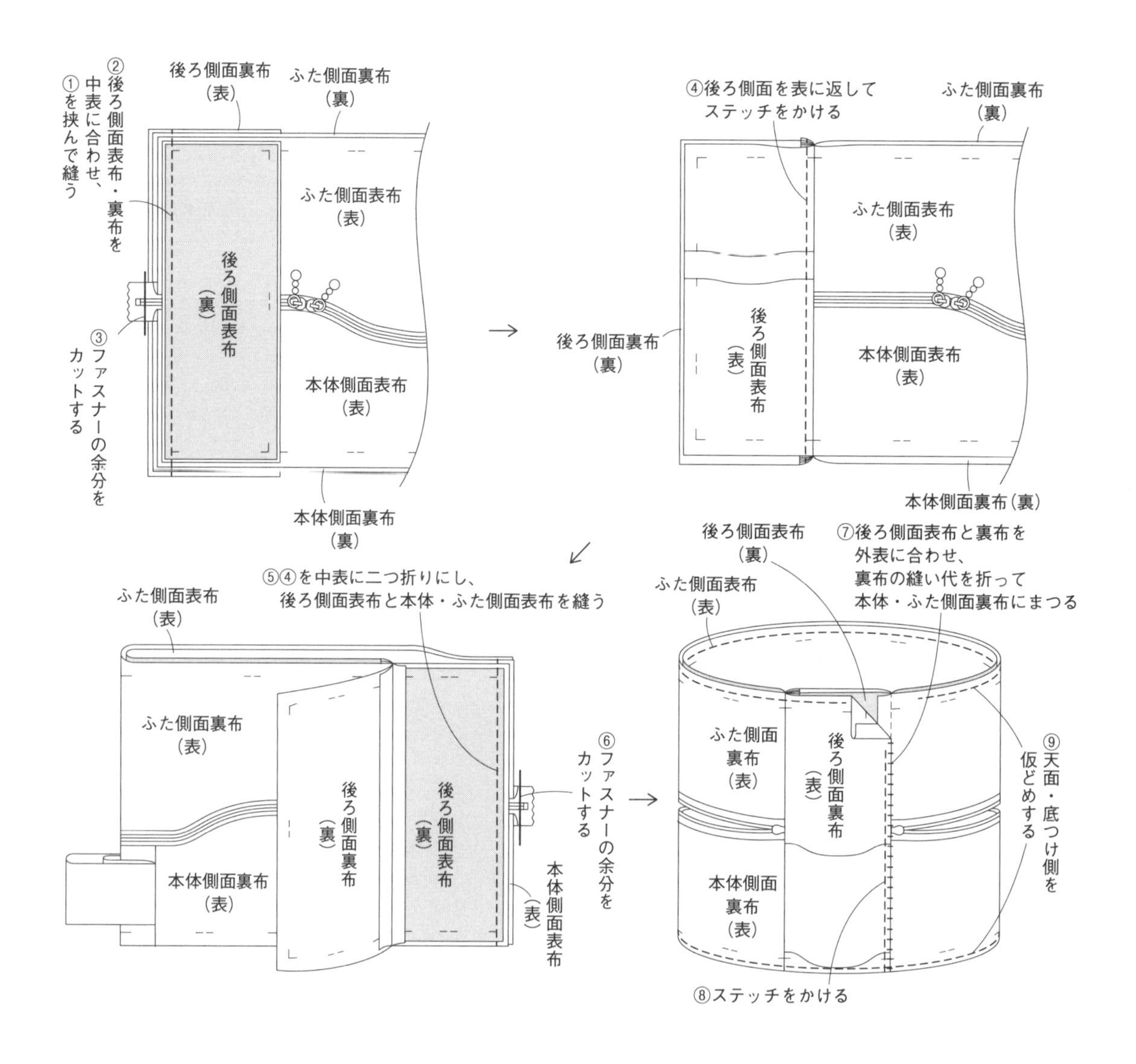
①を挟んで縫う
②後ろ側面表布・裏布を中表に合わせ、
後ろ側面裏布
(表)
ふた側面裏布
(裏)
ふた側面表布
(表)
後ろ側面表布
(裏)
③ファスナーの余分をカットする
本体側面表布
(表)
本体側面裏布
(裏)
④後ろ側面を表に返してステッチをかける
ふた側面裏布
(裏)
ふた側面表布
(表)
後ろ側面裏布
(裏)
後ろ側面表布
(表)
本体側面表布
(表)
本体側面裏布(裏)
⑤④を中表に二つ折りにし、後ろ側面表布と本体・ふた側面表布を縫う
ふた側面表布
(表)
ふた側面裏布
(表)
後ろ側面裏布
(裏)
後ろ側面表布
(裏)
本体側面裏布
(表)
本体側面表布
(表)
⑥ファスナーの余分をカットする
後ろ側面表布
(裏)
⑦後ろ側面表布と裏布を外表に合わせ、裏布の縫い代を折って本体・ふた側面裏布にまつる
ふた側面表布
(表)
ふた側面裏布
(表)
後ろ側面裏布
(表)
本体側面裏布
(表)
⑨天面・底つけ側を仮どめする
⑧ステッチをかける

4 まとめます

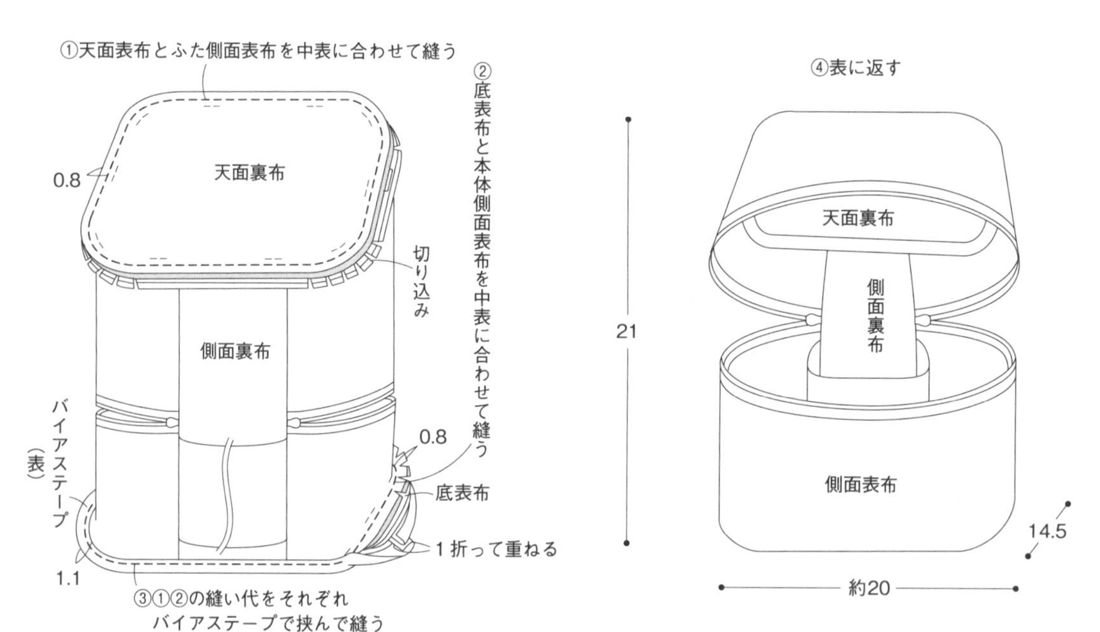
①天面表布とふた側面表布を中表に合わせて縫う
②底表布と本体側面表布を中表に合わせて縫う
0.8
天面裏布
切り込み
側面裏布
バイアステープ
(表)
0.8
底表布
1 折って重ねる
1.1
③①②の縫い代をそれぞれバイアステープで挟んで縫う
④表に返す
21
天面裏布
側面裏布
側面表布
14.5
約20

p.22 21 楕円底のバニティポーチ

実物大型紙 B 面

【材料】 リバティプリント　80×30㎝
キルティング地　80×30㎝
コットンA　20×10㎝
コットンB　30×20㎝
接着芯　80×30㎝
縁どりバイアステープ　1.1㎝幅1.1m
両開きコイルファスナー
2.4㎝幅、長さ40㎝1本

裁ち方図

※数字の単位は㎝　※縫い代は指定以外1㎝
※□は接着芯を貼る

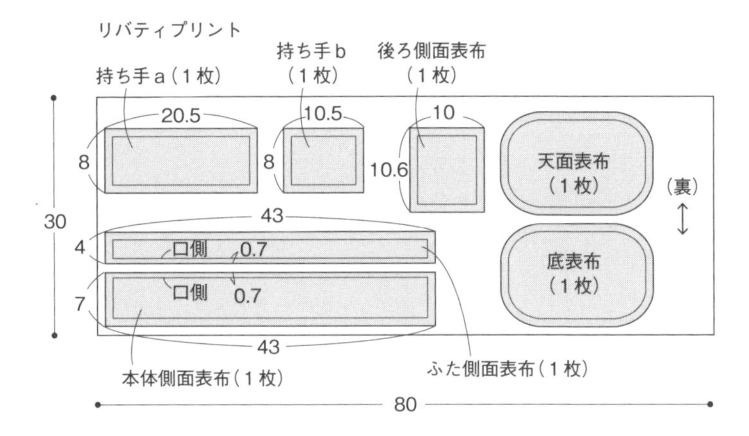

リバティプリント
持ち手a（1枚）
持ち手b（1枚）
後ろ側面表布（1枚）
20.5
10.5
10
8
8
10.6
天面表布（1枚）
（裏）
30
43
4
口側
0.7
口側
0.7
7
底表布（1枚）
43
本体側面表布（1枚）
ふた側面表布（1枚）
80

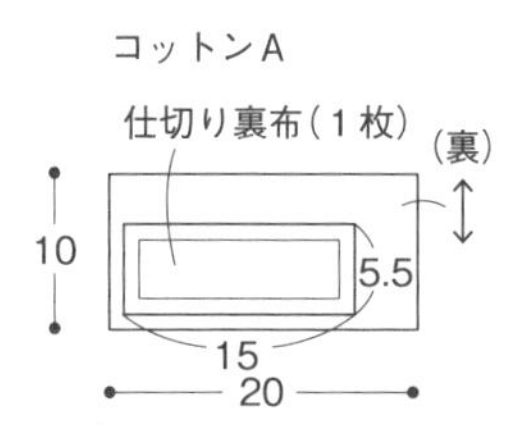

コットンA
仕切り裏布（1枚）
（裏）
10
5.5
15
20

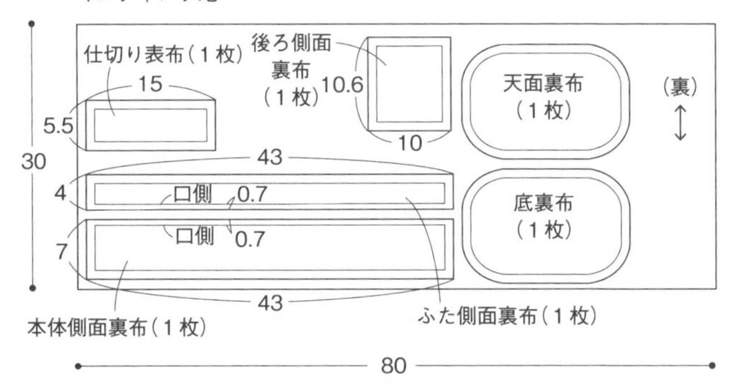

キルティング地
仕切り表布（1枚）
後ろ側面裏布（1枚）
15
5.5
10.6
10
天面裏布（1枚）
（裏）
30
43
4
口側
0.7
口側
0.7
7
底裏布（1枚）
43
本体側面裏布（1枚）
ふた側面裏布（1枚）
80

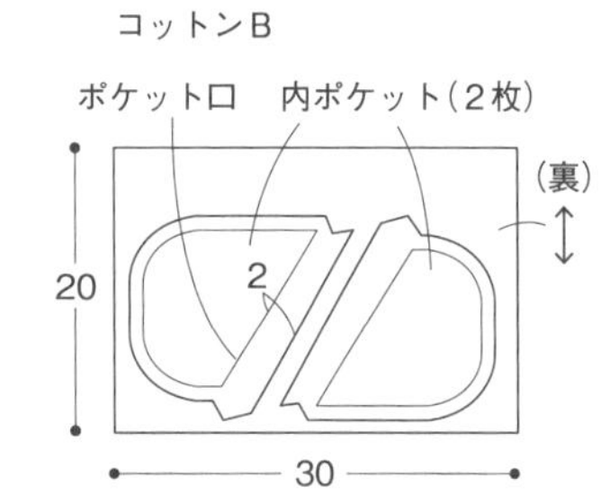

コットンB
ポケット口
内ポケット（2枚）
（裏）
2
20
30

作り方

1 各パーツを作ります

①p.60の1<持ち手a><天面><底>と同様に作る

②内ポケットのポケット口の縫い代を三つ折りにして縫う

前
天面表布（裏）
内ポケット（表）
内ポケット（表）
持ち手a（表）
1
1
天面裏布（表）
後ろ
③②を仮どめする

2 まとめます

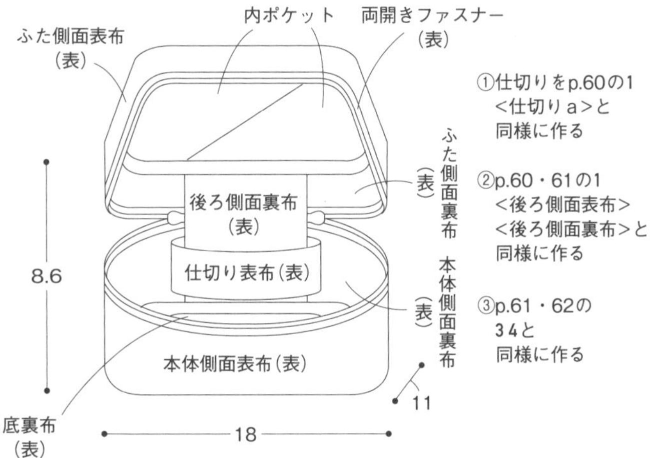

内ポケット
両開きファスナー（表）
ふた側面表布（表）
ふた側面裏布（表）
後ろ側面裏布（表）
仕切り表布（表）
本体側面裏布（表）
8.6
本体側面表布（表）
11
底裏布（表）
18

①仕切りをp.60の1<仕切りa>と同様に作る

②p.60・61の1<後ろ側面表布><後ろ側面裏布>と同様に作る

③p.61・62の3 4と同様に作る

p.24 **22** ファスナーポケット付き巾着バッグ　実物大型紙 A 面

【材料】
リバティプリント　100×90cm
コットンリネン　80×40cm
コットン　30×45cm
接着芯　90×80cm
ファスナー　2.5cm幅、長さ20cm1本
Dカン　2cm幅　1個
ナスカン　1cm幅　1個
ドットボタン　1cm径　1組

裁ち方図

※数字の単位はcm　※縫い代は指定以外1cm　※□は接着芯を貼る

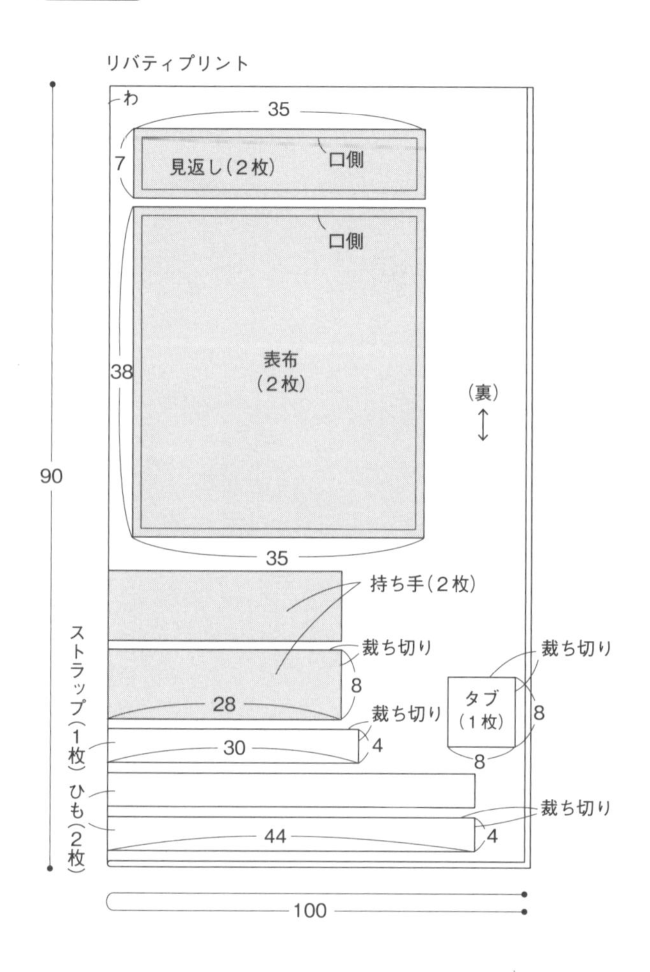

リバティプリント
わ
35
7
見返し(2枚)
口側
口側
38
表布
(2枚)
(裏)
90
35
持ち手(2枚)
裁ち切り
ストラップ(1枚)
8
28
裁ち切り
4
30
タブ
(1枚)
裁ち切り
8
8
ひも(2枚)
裁ち切り
44
4
100

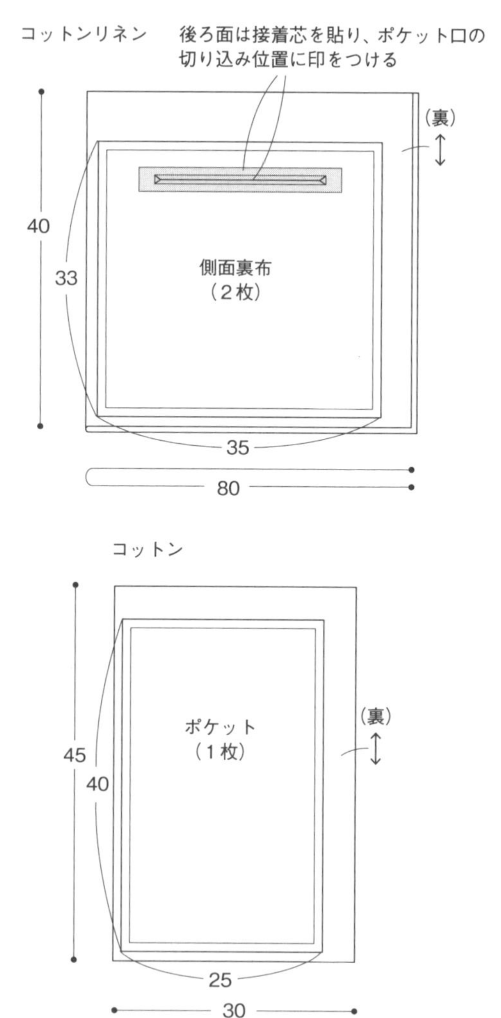

コットンリネン
後ろ面は接着芯を貼り、ポケット口の
切り込み位置に印をつける
(裏)
40
33
側面裏布
(2枚)
35
80
コットン
45
40
ポケット
(1枚)
(裏)
25
30

作り方

1 各パーツを作ります

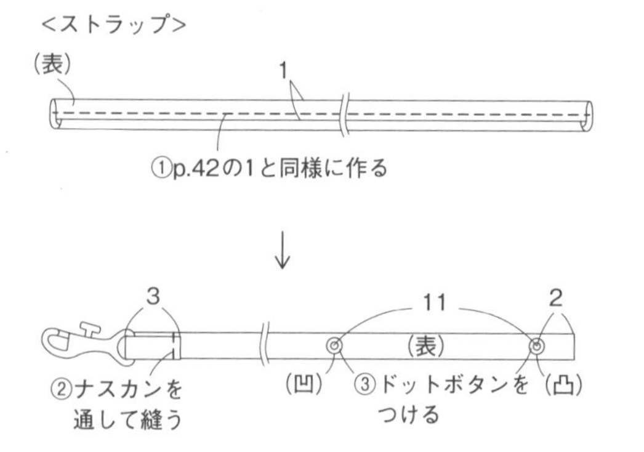

<ストラップ>
(表)
1
①p.42の1と同様に作る
3
11
2
(表)
②ナスカンを
通して縫う
(凹)
③ドットボタンを
つける
(凸)

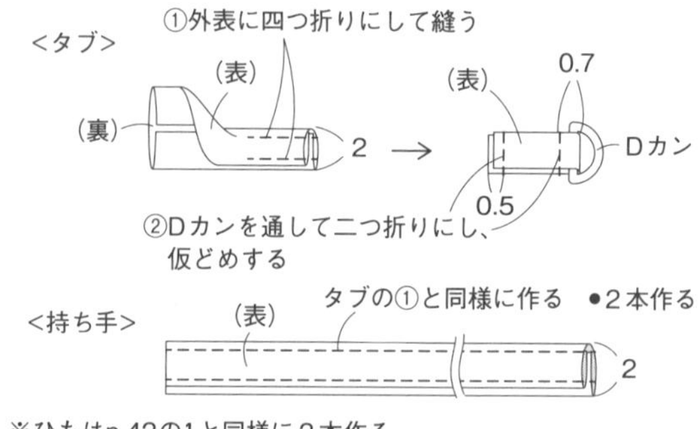

<タブ>
①外表に四つ折りにして縫う
(表)
(裏)
2
(表)
0.7
Dカン
0.5
②Dカンを通して二つ折りにし、
仮どめする
<持ち手>
(表)
タブの①と同様に作る　●2本作る
2

※ひもはp.42の1と同様に2本作る

2 表布と裏布を作ります

3 本体を作り、まとめます

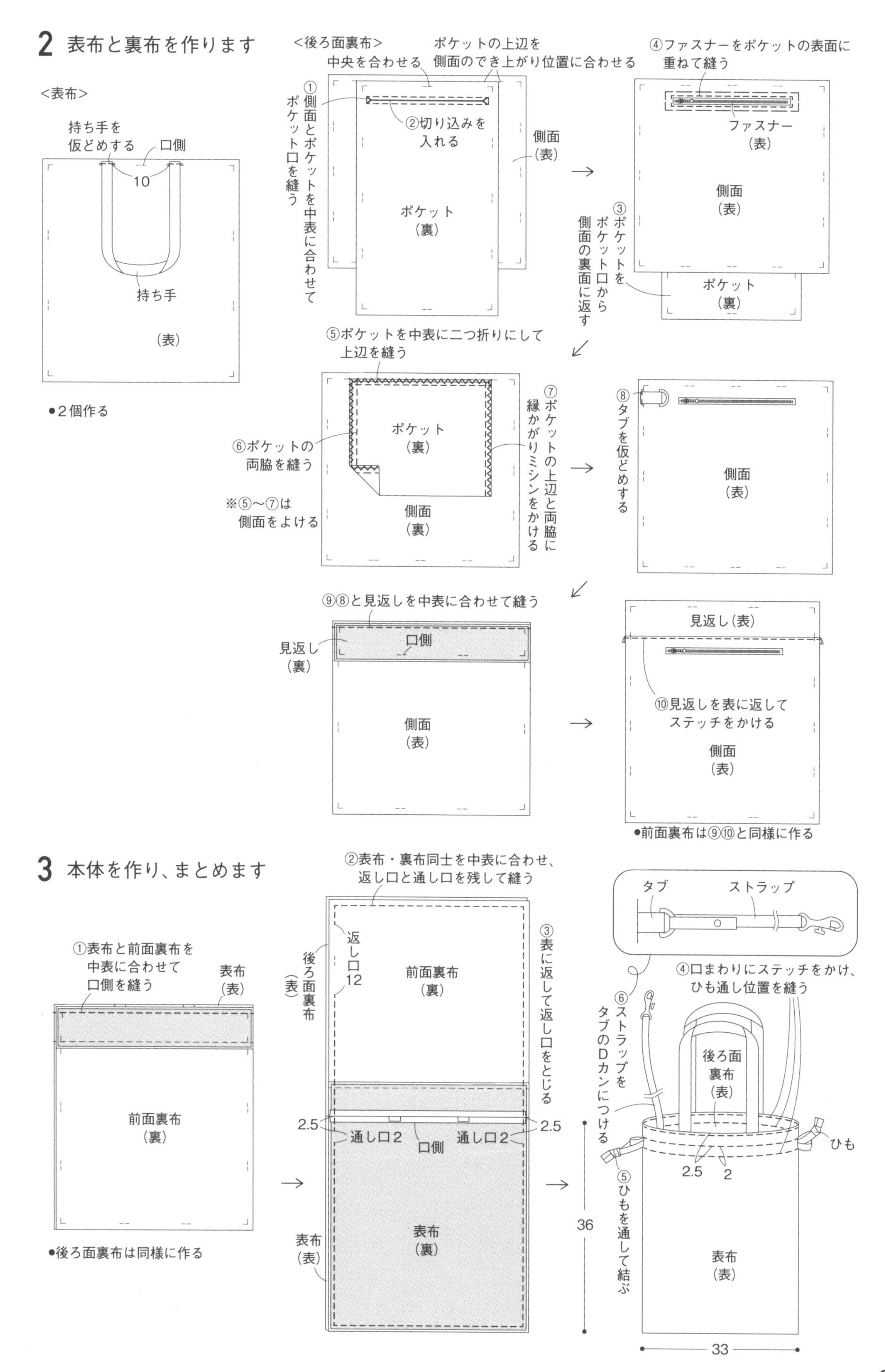

<表布>
持ち手を
仮どめする
口側
10
持ち手
(表)
●2個作る
<後ろ面裏布>
中央を合わせる
ポケットの上辺を
側面のでき上がり位置に合わせる
①側面とポケットを中表に合わせて
ポケット口を縫う
②切り込みを
入れる
側面
(表)
ポケット
(裏)
④ファスナーをポケットの表面に
重ねて縫う
ファスナー
(表)
側面
(表)
③ポケットを
ポケット口から
側面の裏面に返す
ポケット
(裏)
⑤ポケットを中表に二つ折りにして
上辺を縫う
ポケット
(裏)
⑥ポケットの
両脇を縫う
※⑤〜⑦は
側面をよける
側面
(裏)
⑦ポケットの上辺と両脇に
縁かがりミシンをかける
⑧タブを仮どめする
側面
(表)
⑨⑧と見返しを中表に合わせて縫う
見返し
(裏)
口側
側面
(表)
見返し(表)
⑩見返しを表に返して
ステッチをかける
側面
(表)
●前面裏布は⑨⑩と同様に作る
①表布と前面裏布を
中表に合わせて
口側を縫う
表布
(表)
前面裏布
(裏)
●後ろ面裏布は同様に作る
②表布・裏布同士を中表に合わせ、
返し口と通し口を残して縫う
返し口12
後ろ面裏布
(表)
前面裏布
(裏)
③表に返して返し口をとじる
2.5
通し口2
口側
通し口2
2.5
表布
(表)
表布
(裏)
タブ
ストラップ
④口まわりにステッチをかけ、
ひも通し位置を縫う
⑥ストラップを
タブのDカンにつける
後ろ面
裏布
(表)
ひも
2.5
2
⑤ひもを通して結ぶ
36
表布
(表)
33

p.26 24 巾着サコッシュ

【材料】 リバティプリント　110cm幅×60cm
コットンリネン　70×25cm
接着芯　110cm幅×50cm
ゴムテープ　0.9cm幅40cm
Dカン　2cm幅　1個
角カン　2cm幅　1個
移動カン　2cm幅　1個
ナスカン　1cm幅　1個
ドットボタン　1cm径　1組

裁ち方図

※数字の単位はcm　※縫い代は指定以外1cm
※□は接着芯を貼る

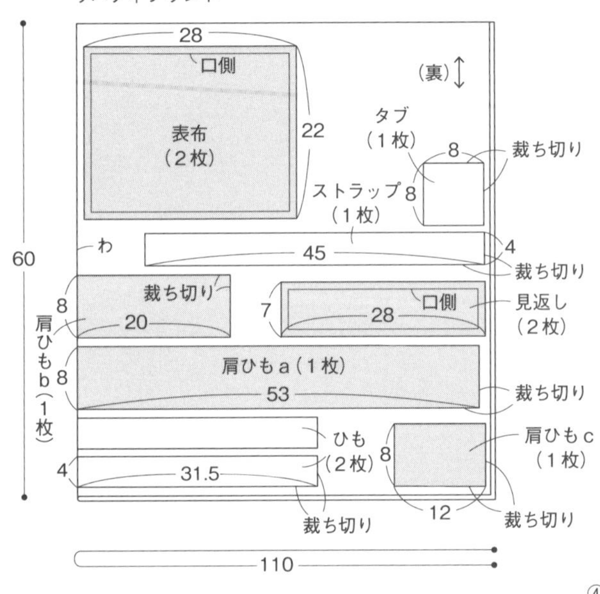

リバティプリント
28
口側
(裏)
表布
(2枚)
22
タブ
(1枚)
8
裁ち切り
ストラップ
(1枚)
8
60
わ
45
4
裁ち切り
裁ち切り
口側
見返し
(2枚)
7
28
8
20
肩ひもb(1枚)
8
肩ひもa(1枚)
53
裁ち切り
ひも
(2枚)
肩ひもc
(1枚)
8
4
31.5
12
裁ち切り
裁ち切り
110

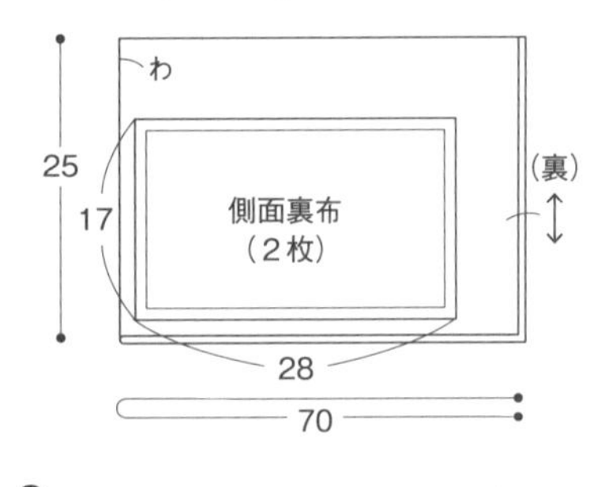

コットンリネン
わ
25
17
側面裏布
(2枚)
(裏)
28
70

作り方

1 各パーツを作ります

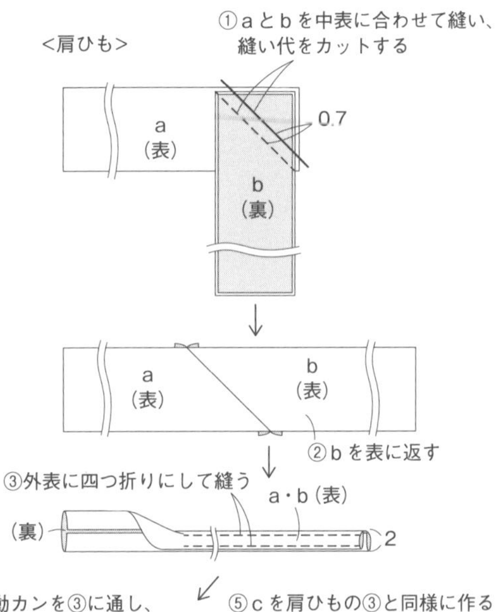

<肩ひも>
①aとbを中表に合わせて縫い、
縫い代をカットする
0.7
a
(表)
b
(裏)
a
(表)
b
(表)
②bを表に返す
③外表に四つ折りにして縫う
a・b(表)
(裏)
2

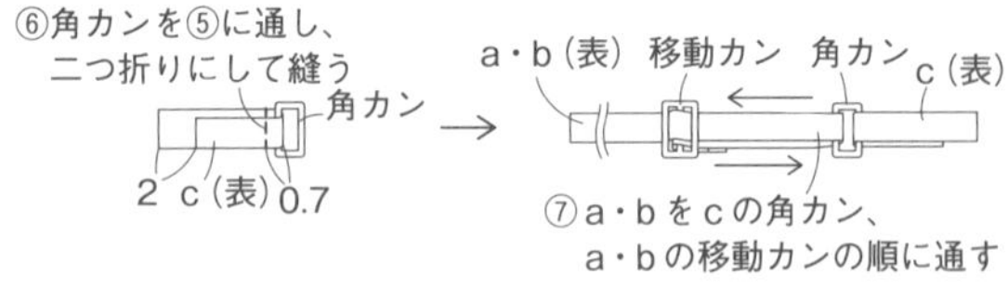

④移動カンを③に通し、
端を三つ折りにして縫う
移動カン
a・b(表)
3
1
⑤cを肩ひもの③と同様に作る
c(表)
2

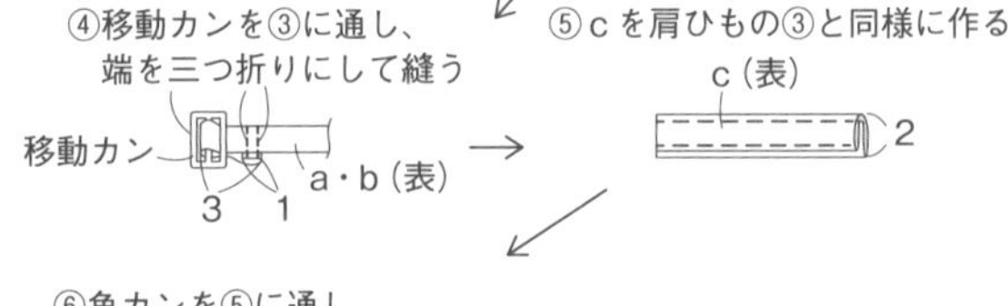

⑥角カンを⑤に通し、
二つ折りにして縫う
角カン
2
c(表)
0.7
a・b(表)
移動カン
角カン
c(表)
⑦a・bをcの角カン、
a・bの移動カンの順に通す

※タブとストラップはp.64の1、ひもはp.42の1と同様に作る

2 本体を作り、まとめます

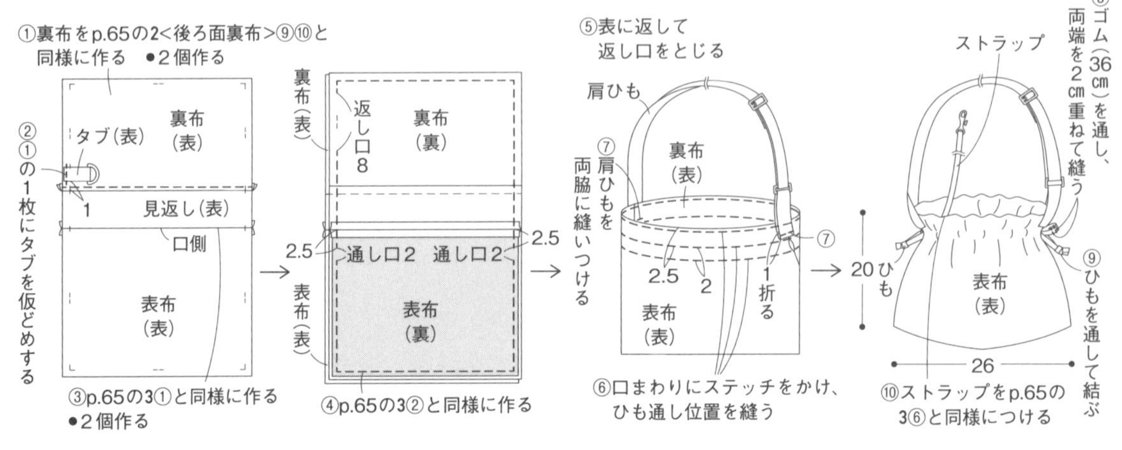

①裏布をp.65の2<後ろ面裏布>⑨⑩と
同様に作る　●2個作る
②①の1枚にタブを仮どめする
タブ(表)
裏布
(表)
1
見返し(表)
口側
表布
(表)
③p.65の3①と同様に作る
●2個作る
裏布(表)
返し口8
裏布
(裏)
2.5
通し口2
通し口2
2.5
表布(表)
表布
(裏)
④p.65の3②と同様に作る
⑤表に返して
返し口をとじる
肩ひも
⑦肩ひもを両脇に縫いつける
裏布
(表)
2.5
2
1折る
表布
(表)
⑦
⑥口まわりにステッチをかけ、
ひも通し位置を縫う
ストラップ
⑧ゴム(36cm)を通し、両端を2cm重ねて縫う
20
ひも
表布
(表)
⑨ひもを通して結ぶ
26
⑩ストラップをp.65の
3⑥と同様につける

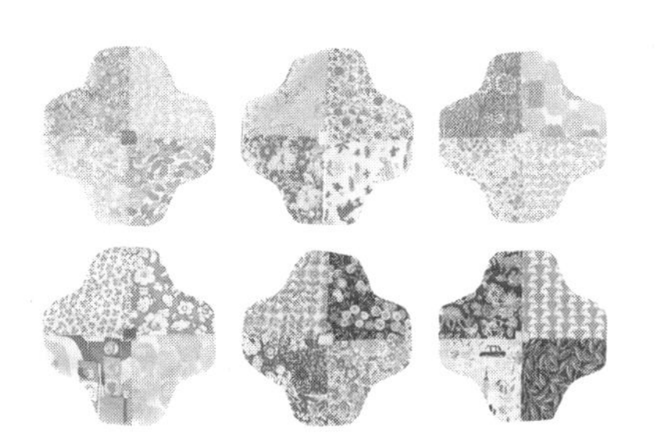

p.10 9 お花のコースター

実物大型紙 A 面

【材料】 リバティプリント　15cm四方4種
コットン　40×15cm
キルト芯　15cm四方
25番刺しゅう糸

裁ち方図

※数字の単位はcm　※全て裁ち切り

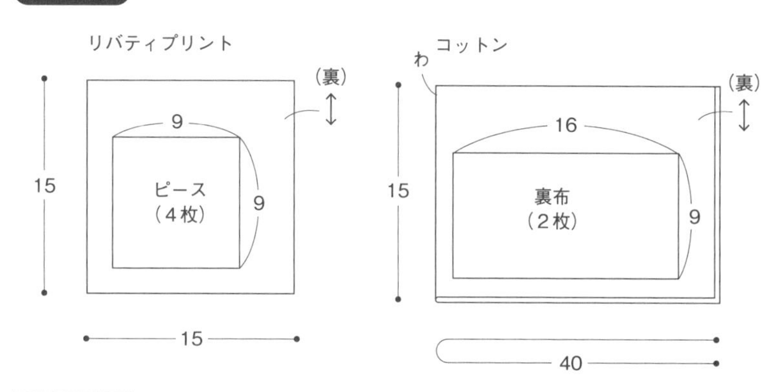

リバティプリント
(裏)
9
15
ピース
(4枚)
9
15
コットン
わ
(裏)
16
15
裏布
(2枚)
9
40

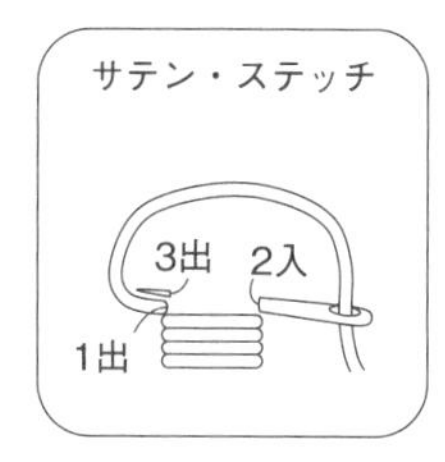

サテン・ステッチ
3出
2入
1出

作り方

1 表布と裏布を作ります

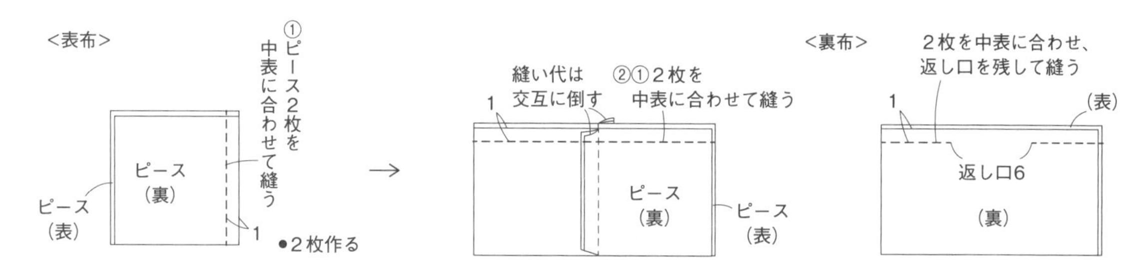

<表布>
①ピース2枚を中表に合わせて縫う
ピース(裏)
ピース(表)
1
●2枚作る
縫い代は交互に倒す
②①2枚を中表に合わせて縫う
1
ピース(裏)
ピース(表)
<裏布>
2枚を中表に合わせ、返し口を残して縫う
1
(表)
返し口6
(裏)

2 まとめます

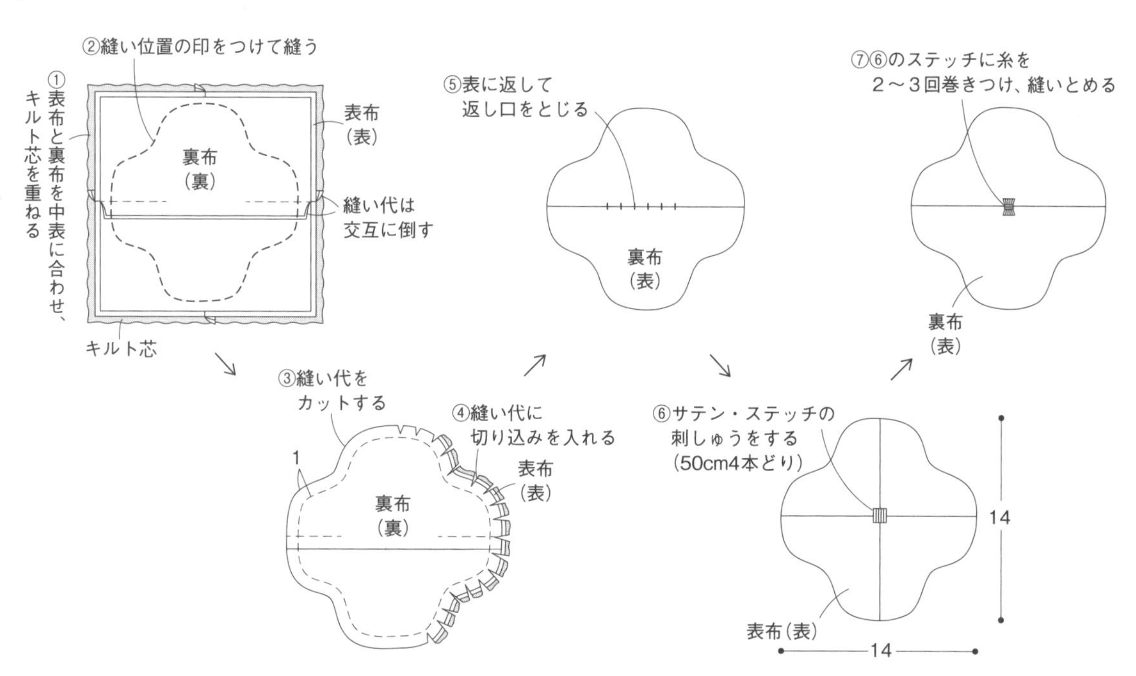

②縫い位置の印をつけて縫う
①表布と裏布を中表に合わせ、キルト芯を重ねる
表布(表)
裏布(裏)
縫い代は交互に倒す
キルト芯
③縫い代をカットする
④縫い代に切り込みを入れる
1
裏布(裏)
表布(表)
⑤表に返して返し口をとじる
裏布(表)
⑥サテン・ステッチの刺しゅうをする(50cm4本どり)
14
表布(表)
14
⑦⑥のステッチに糸を2〜3回巻きつけ、縫いとめる
裏布(表)

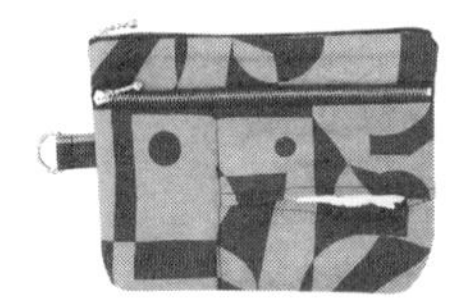

p.24 23 ポケットティッシュケース付き ダブルファスナーポーチ

実物大型紙 B 面

【材料】 リバティプリント　100×25cm
コットンリネン　80×25cm
接着芯　30×20cm
キルト芯　50cm四方
ファスナー　2.5cm幅、長さ20cm2本
Dカン　2cm幅　1個

裁ち方図

※数字の単位はcm　※縫い代は指定以外1cm　※▢は接着芯を貼る

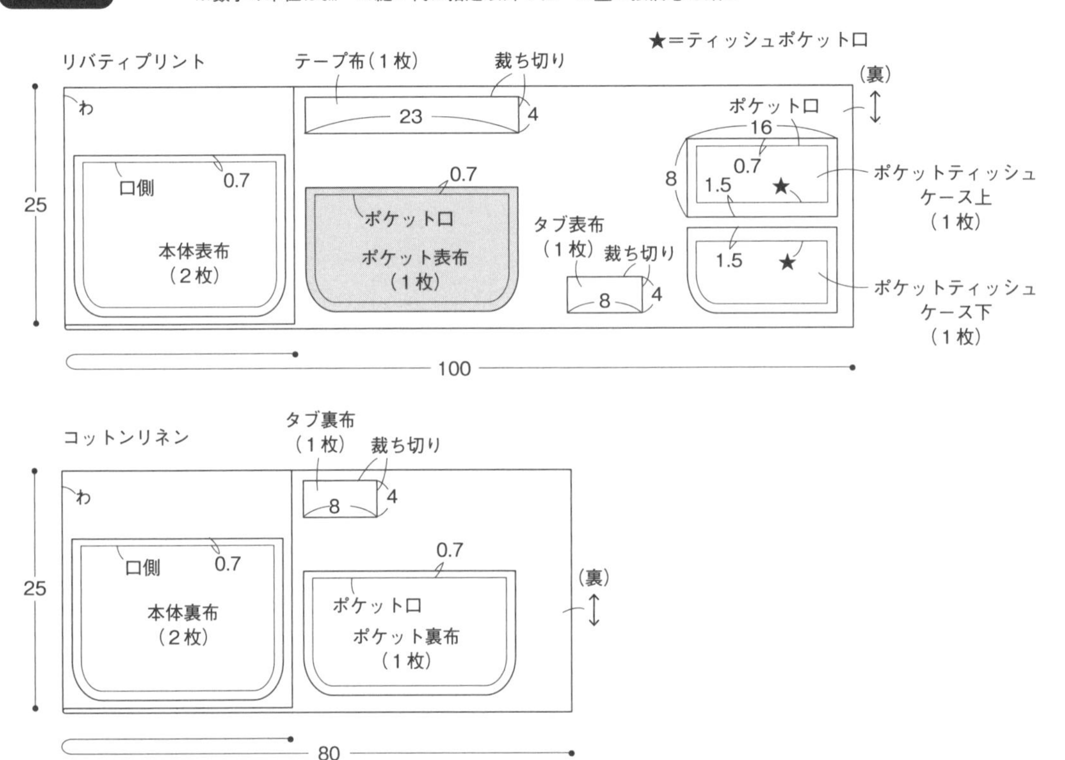

★＝ティッシュポケット口
リバティプリント
テープ布（1枚）
裁ち切り
(裏)
わ
23
4
ポケット口
16
0.7
8
1.5
★
ポケットティッシュ
ケース上
（1枚）
25
口側
0.7
ポケット口
ポケット表布
（1枚）
タブ表布
（1枚）
裁ち切り
本体表布
（2枚）
1.5
★
8
4
ポケットティッシュ
ケース下
（1枚）
100
コットンリネン
タブ裏布
（1枚）
裁ち切り
わ
8
4
口側
0.7
0.7
本体裏布
（2枚）
ポケット口
ポケット裏布
（1枚）
(裏)
80

作り方

1 各パーツを作ります

<ポケット>

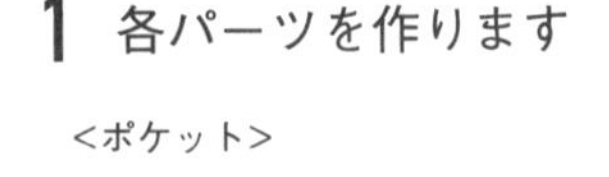

上(裏)
0.8
0.7
下(裏)

①ポケットティッシュケースの★の縫い代を三つ折りにして縫う

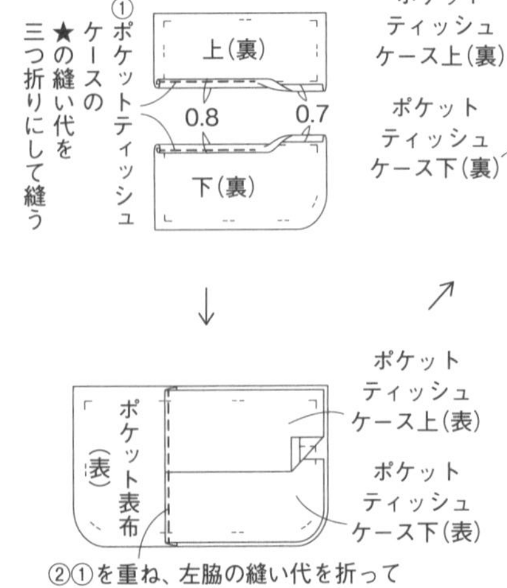

ポケット表布
(表)
ポケットティッシュケース上(表)
ポケットティッシュケース下(表)

②①を重ね、左脇の縫い代を折ってポケット表布に縫いつける

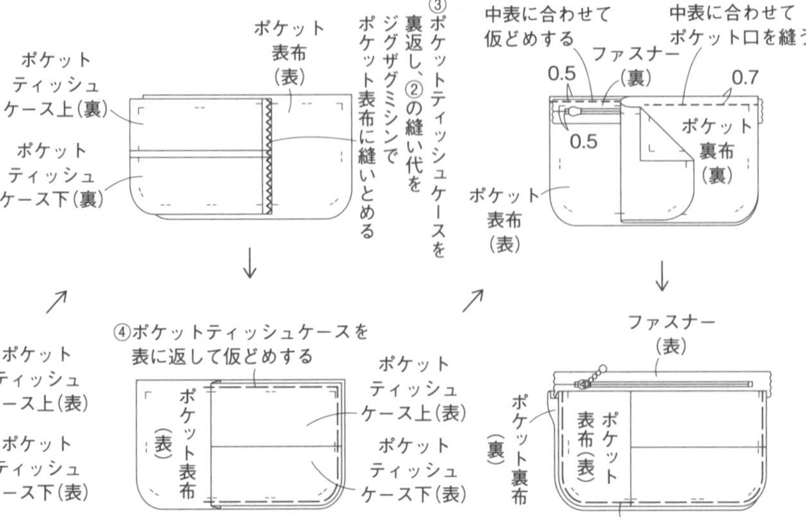

ポケットティッシュケース上(裏)
ポケットティッシュケース下(裏)
ポケット表布(表)
③ポケットティッシュケースを裏返し、②の縫い代をジグザグミシンでポケット表布に縫いとめる
④ポケットティッシュケースを表に返して仮どめする
ポケット表布(表)
ポケットティッシュケース上(表)
ポケットティッシュケース下(表)
⑤④とファスナーを中表に合わせて仮どめする
⑥ポケット表布と裏布を中表に合わせてポケット口を縫う
ファスナー(裏)
0.5
0.5
0.7
ポケット裏布(裏)
ポケット表布(表)
ファスナー(表)
ポケット裏布
(裏)
ポケット表布(表)
⑦⑥を表に返して仮どめする

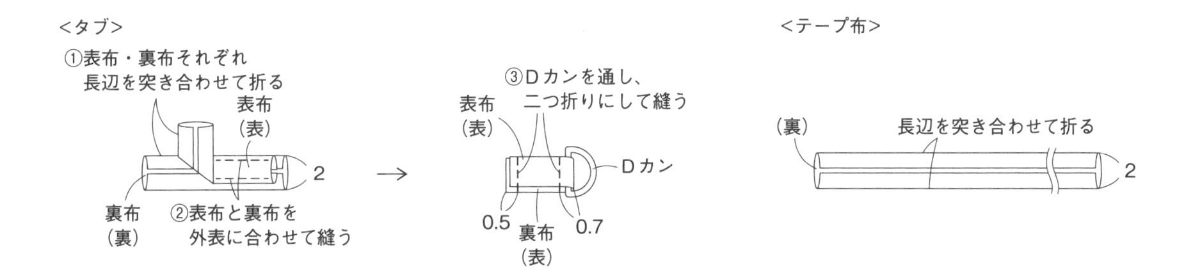
<タブ>
①表布・裏布それぞれ
長辺を突き合わせて折る
表布
(表)
2
裏布
(裏)
②表布と裏布を
外表に合わせて縫う
③Dカンを通し、
二つ折りにして縫う
表布
(表)
Dカン
0.5
裏布
(表)
0.7
<テープ布>
(裏)
長辺を突き合わせて折る
2

2 本体表布を作ります

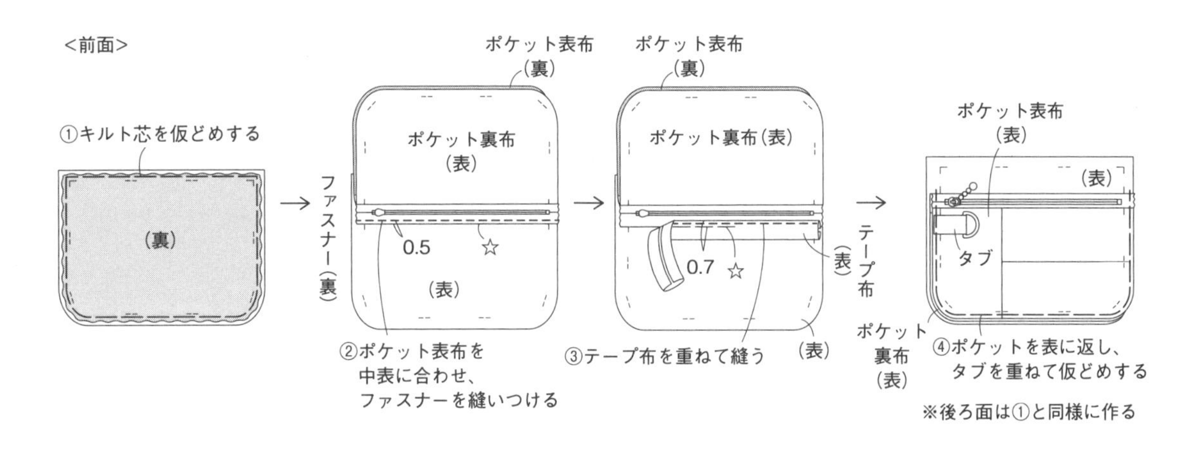
<前面>
①キルト芯を仮どめする
(裏)
ポケット表布
(裏)
ポケット裏布
(表)
ファスナー(裏)
0.5
☆
(表)
②ポケット表布を
中表に合わせ、
ファスナーを縫いつける
ポケット表布
(裏)
ポケット裏布(表)
0.7
☆
(表)
テープ布
(表)
③テープ布を重ねて縫う
ポケット表布
(表)
(表)
タブ
ポケット
裏布
(表)
④ポケットを表に返し、
タブを重ねて仮どめする
※後ろ面は①と同様に作る

3 本体を作り、まとめます

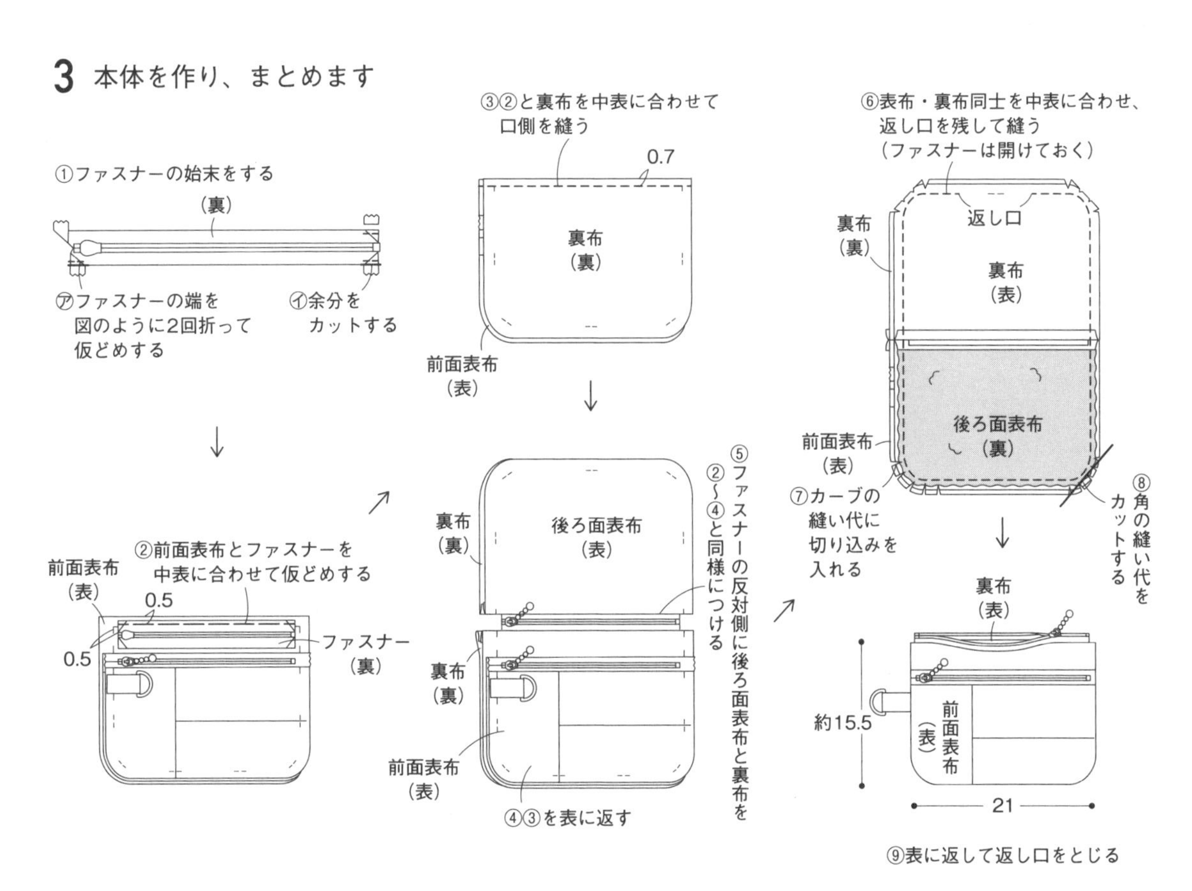
①ファスナーの始末をする
(裏)
㋐ファスナーの端を
図のように2回折って
仮どめする
㋑余分を
カットする
前面表布
(表)
②前面表布とファスナーを
中表に合わせて仮どめする
0.5
0.5
ファスナー
(裏)
③②と裏布を中表に合わせて
口側を縫う
0.7
裏布
(裏)
前面表布
(表)
裏布
(裏)
後ろ面表布
(表)
裏布
(裏)
前面表布
(表)
④③を表に返す
⑤ファスナーの反対側に後ろ面表布と裏布を
②〜④と同様につける
⑥表布・裏布同士を中表に合わせ、
返し口を残して縫う
(ファスナーは開けておく)
返し口
裏布
(裏)
裏布
(表)
後ろ面表布
(裏)
前面表布
(表)
⑦カーブの
縫い代に
切り込みを
入れる
⑧角の縫い代を
カットする
裏布
(表)
約15.5
前面表布
(表)
21
⑨表に返して返し口をとじる

p.26 25 ポケットティッシュケース付き ファスナーポーチ

【材料】 リバティプリント 40×35㎝
コットンリネン 40×35㎝
キルト芯 40×20㎝
ファスナー 2.5㎝幅、長さ12㎝1本
Dカン 2㎝幅 1個
ドットボタン 1㎝径 1組

実物大型紙 A 面

裁ち方図

※数字の単位は㎝ ※縫い代は指定以外１㎝

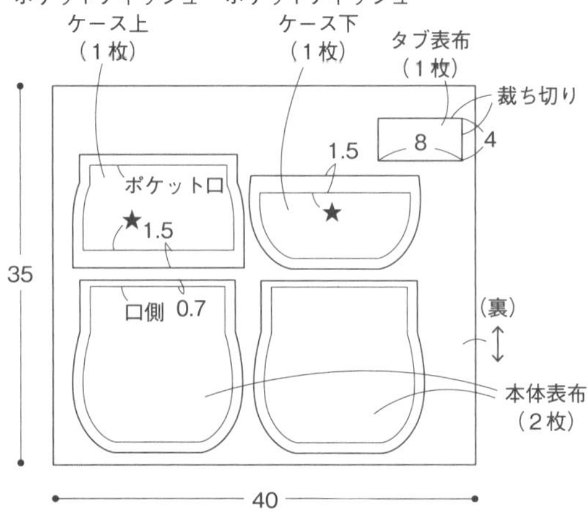

リバティプリント
★=ティッシュポケット口
ポケットティッシュ
ケース上
（1枚）
ポケットティッシュ
ケース下
（1枚）
タブ表布
（1枚）
裁ち切り
8
4
1.5
ポケット口
1.5
口側
0.7
(裏)
本体表布
（2枚）
35
40

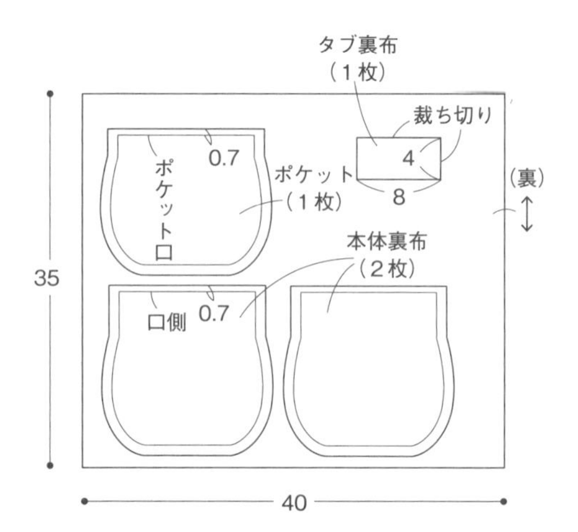

コットンリネン
タブ裏布
（1枚）
裁ち切り
4
8
0.7
ポケット口
ポケット
（1枚）
(裏)
本体裏布
（2枚）
口側
0.7
35
40

作り方

1 本体表布を作ります

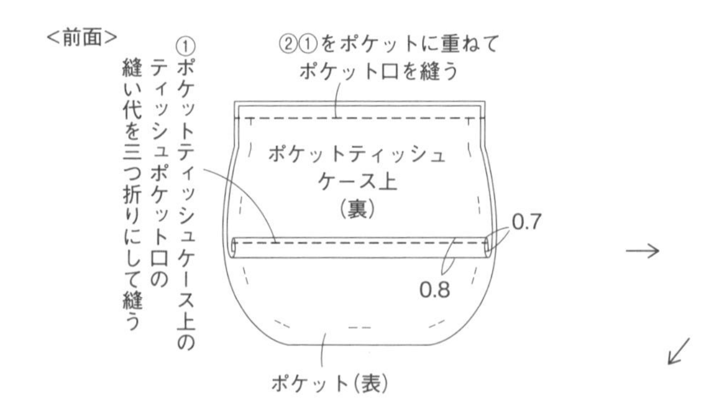

<前面>
①ポケットティッシュケース上のティッシュポケット口の縫い代を三つ折りにして縫う
②①をポケットに重ねてポケット口を縫う
ポケットティッシュ
ケース上
(裏)
0.7
0.8
ポケット(表)

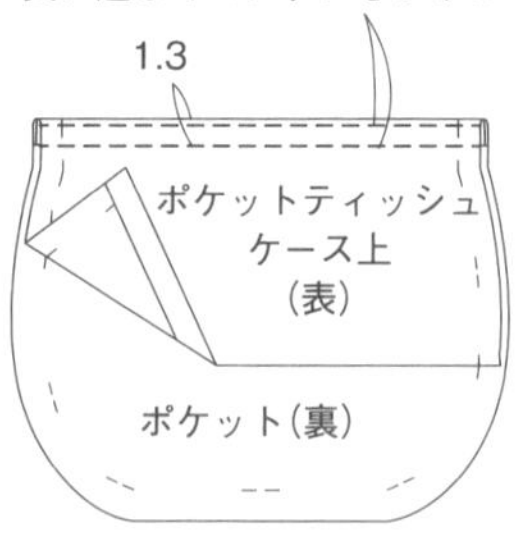

③ポケットティッシュケース上を表に返してステッチをかける
1.3
ポケットティッシュ
ケース上
(表)
ポケット(裏)

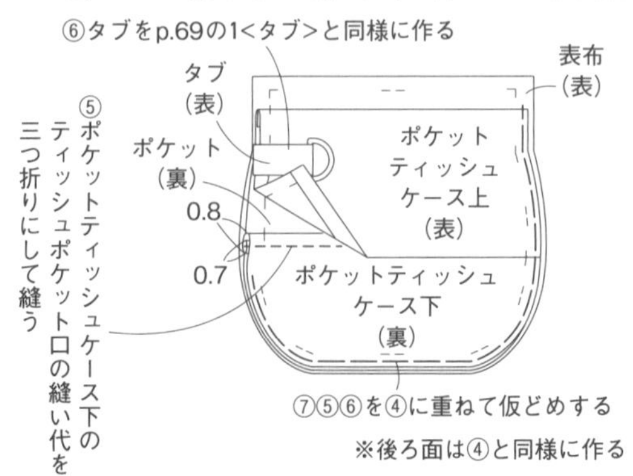

④p.69の2<前面>①と同様に表布の裏にキルト芯を仮どめする
⑥タブをp.69の1<タブ>と同様に作る
表布
(表)
タブ
(表)
ポケット
(裏)
⑤ポケットティッシュケース下のティッシュポケット口の縫い代を三つ折りにして縫う
0.8
0.7
ポケット
ティッシュ
ケース上
(表)
ポケットティッシュ
ケース下
(裏)
⑦⑤⑥を④に重ねて仮どめする
※後ろ面は④と同様に作る

2 まとめます

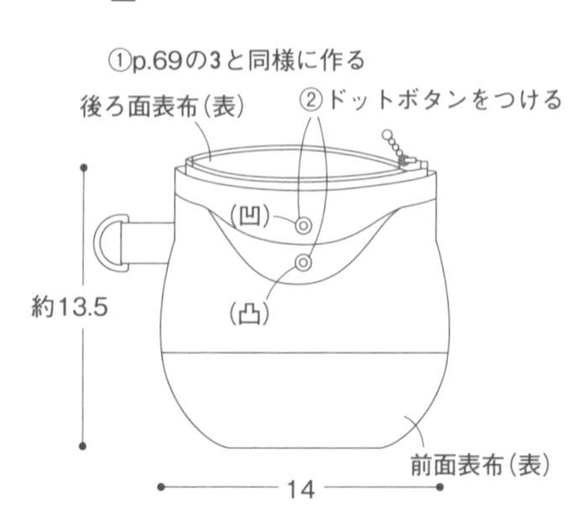

①p.69の3と同様に作る
後ろ面表布(表)
②ドットボタンをつける
(凹)
(凸)
約13.5
14
前面表布(表)

29

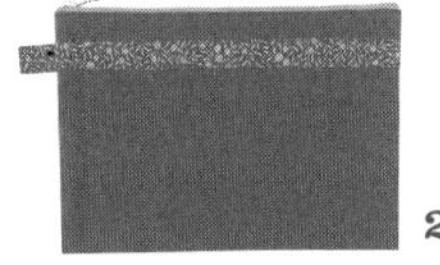

27

p.28 27,29 一枚仕立てのファスナーポーチ

【材料】

27
リバティプリント　40×20cm
11号帆布　40×50cm
ファスナー　2.5cm幅、長さ25cm1本

29
リバティプリント　35×20cm
11号帆布　30×45cm
ファスナー　2.5cm幅、長さ20cm1本

裁ち方図

※数字の単位はcm　※縫い代は指定以外2cm
※[ ]内は**29**、指定以外は**27**・**29**共通

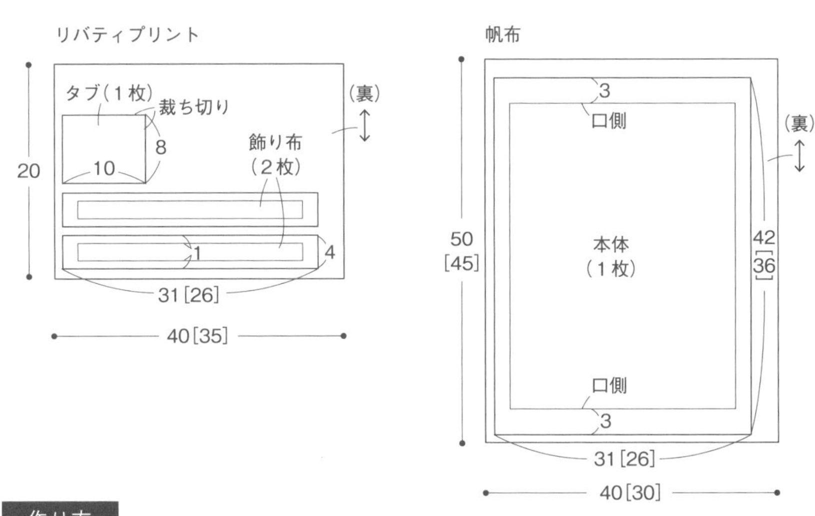

リバティプリント
タブ(1枚)
裁ち切り
(裏)
8
10
20
飾り布
(2枚)
1
4
31[26]
40[35]
帆布
3
口側
(裏)
50
[45]
本体
(1枚)
42
[36]
口側
3
31[26]
40[30]

作り方

1 タブを作ります

2 本体を作ります

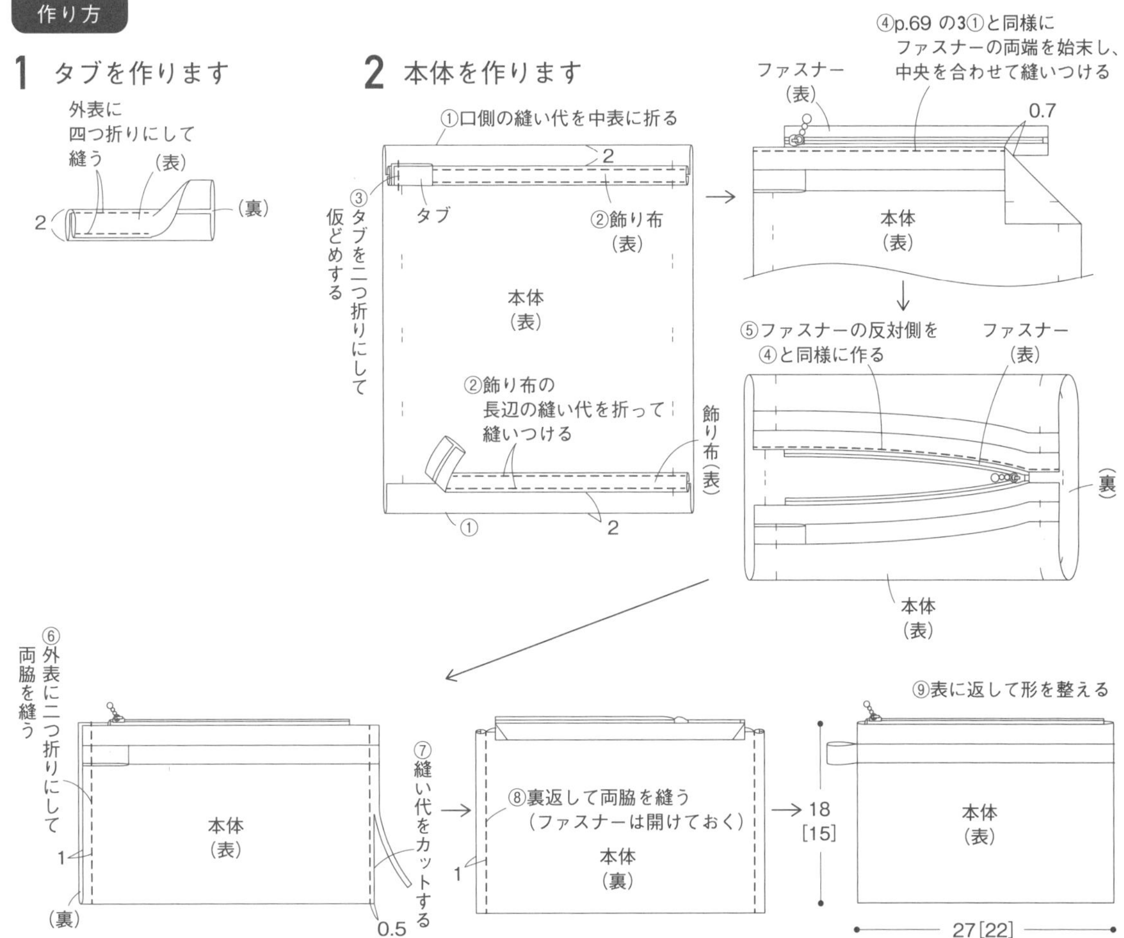

外表に
四つ折りにして
縫う
(表)
2
(裏)
①口側の縫い代を中表に折る
2
③タブを二つ折りにして仮どめする
タブ
②飾り布
(表)
本体
(表)
②飾り布の
長辺の縫い代を折って
縫いつける
飾り布(表)
①
2
④p.69 の3①と同様に
ファスナーの両端を始末し、
中央を合わせて縫いつける
ファスナー
(表)
0.7
本体
(表)
⑤ファスナーの反対側を
④と同様に作る
ファスナー
(表)
(裏)
本体
(表)
⑥外表に二つ折りにして両脇を縫う
本体
(表)
1
(裏)
0.5
⑦縫い代をカットする
⑧裏返して両脇を縫う
(ファスナーは開けておく)
1
本体
(裏)
⑨表に返して形を整える
18
[15]
本体
(表)
27[22]

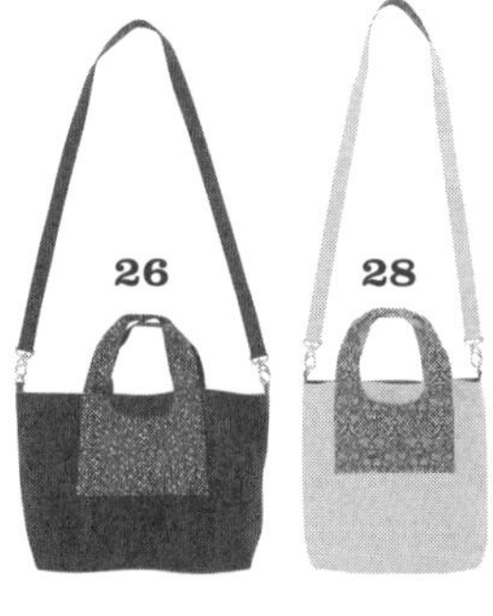
26
28

p.28 **26,28** 持ち手がポケットの帆布バッグ　実物大型紙 B 面

【材料】

26

リバティプリント　110㎝幅×45㎝
11号帆布　90×80㎝
コットンA　50×40㎝
コットンB　100×60㎝
接着芯　100×80㎝
ナスカン　2.5㎝幅2個
Dカン　2㎝幅2個

28

リバティプリント　110㎝幅×45㎝
11号帆布　90×80㎝
コットンA　50×40㎝
コットンB　75×65㎝
接着芯　100×80㎝
ナスカン　2.5㎝幅2個
Dカン　2㎝幅2個

裁ち方図

※数字の単位は㎝　※縫い代は指定以外1㎝
※[ ]内は**28**、指定以外は**26・28**共通　※□は接着芯を貼る

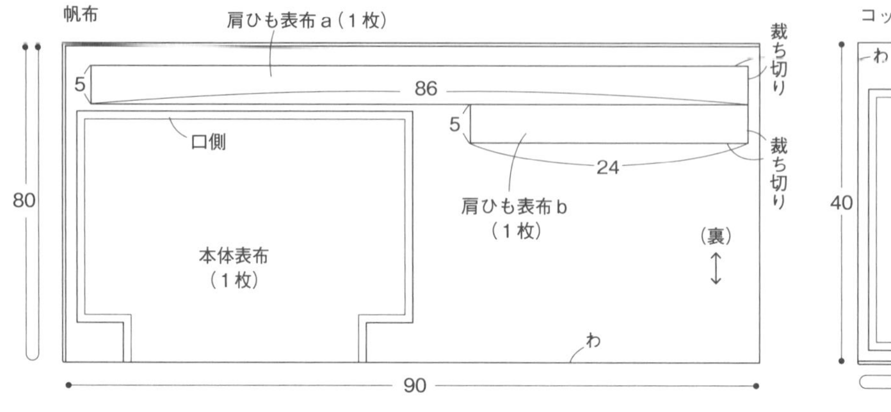
帆布
肩ひも表布a（1枚）
裁ち切り
5
86
口側
5
24
裁ち切り
肩ひも表布b
（1枚）
本体表布
（1枚）
（裏）
わ
80
90

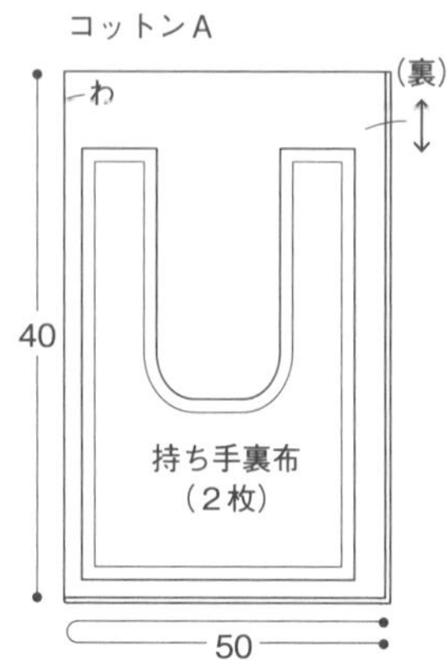
コットンA
わ
（裏）
40
持ち手裏布
（2枚）
50

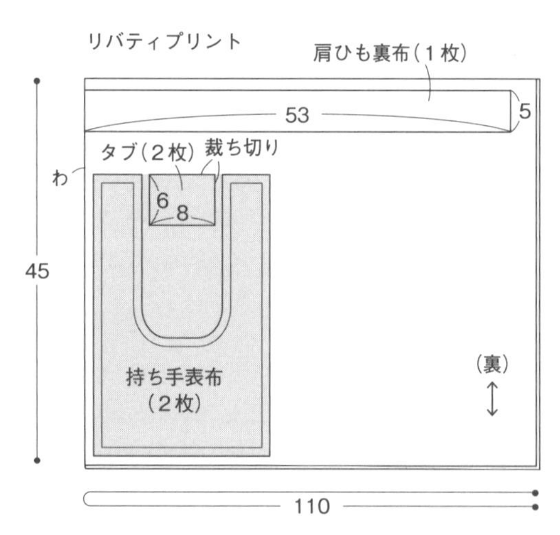
リバティプリント
肩ひも裏布（1枚）
53
5
タブ（2枚）
裁ち切り
わ
6
8
45
持ち手表布
（2枚）
（裏）
110

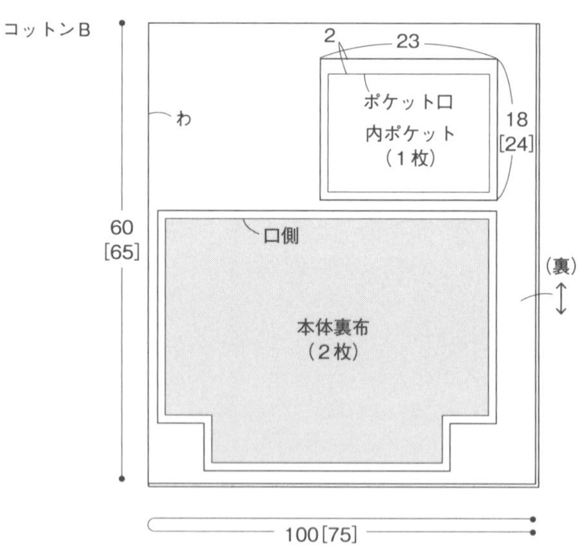
コットンB
2
23
わ
ポケット口
内ポケット
（1枚）
18
[24]
60
[65]
口側
（裏）
本体裏布
（2枚）
100[75]

作り方

1 各パーツを作ります

<タブ>

（裏）
①外表に四つ折りにして縫う
（表）
2
→
Dカン
（表）
0.5
②Dカンを通して二つ折りにし、つけ側を仮どめする
●2個作る

<肩ひも>　①p.66の1<肩ひも>①②と同様に表布を作る

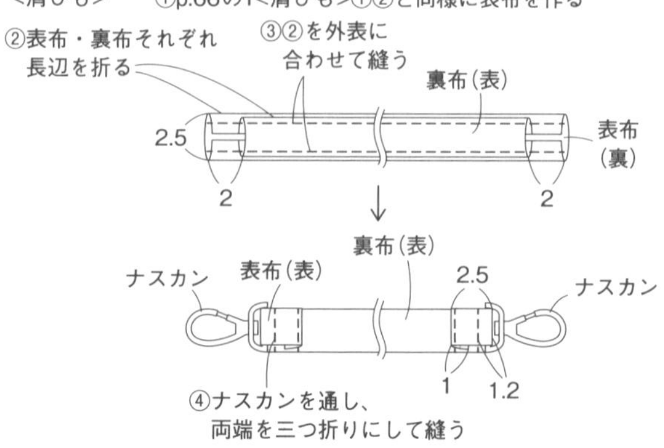
②表布・裏布それぞれ長辺を折る
③②を外表に合わせて縫う
裏布（表）
2.5
表布（裏）
2
2
裏布（表）
ナスカン
表布（表）
2.5
ナスカン
1
1.2
④ナスカンを通し、両端を三つ折りにして縫う

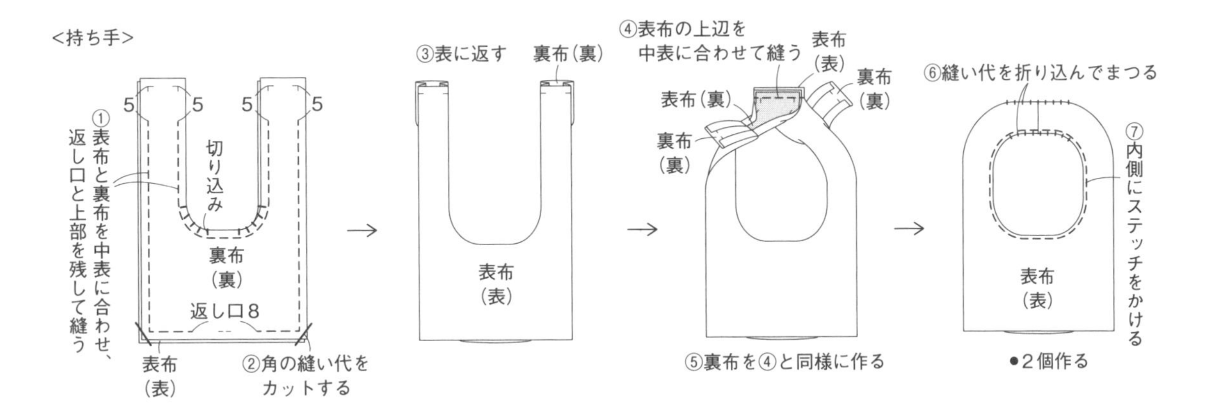

<持ち手>
5
5
5
5
①表布と裏布を中表に合わせ、返し口と上部を残して縫う
切り込み
裏布
(裏)
返し口8
表布
(表)
②角の縫い代をカットする
③表に返す
裏布(裏)
表布
(表)
④表布の上辺を中表に合わせて縫う
表布
(表)
裏布
(裏)
表布(裏)
裏布
(裏)
⑤裏布を④と同様に作る
⑥縫い代を折り込んでまつる
⑦内側にステッチをかける
表布
(表)
●2個作る

2 表袋と裏袋を作ります

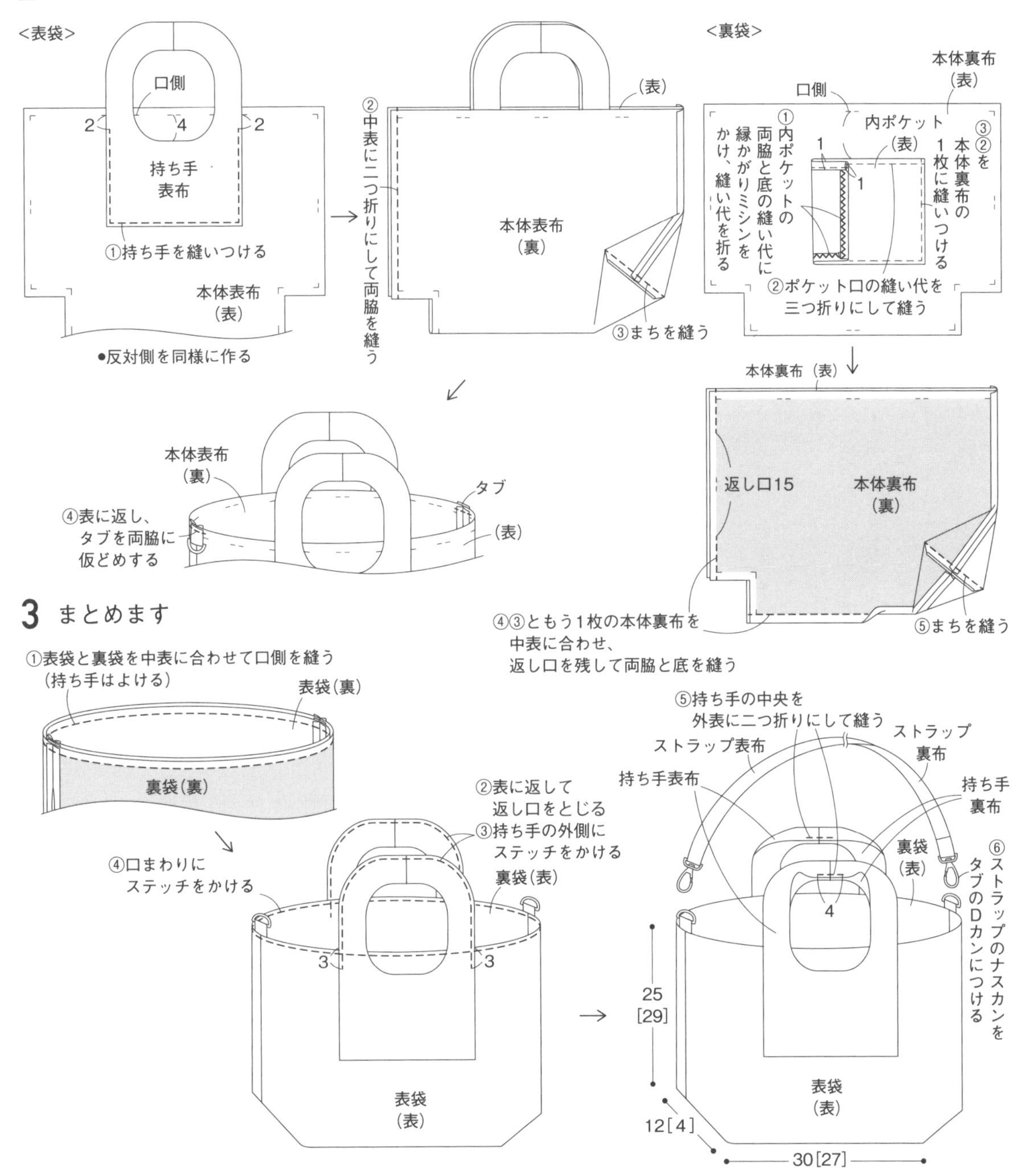

<表袋>
口側
2
4
2
持ち手
表布
①持ち手を縫いつける
本体表布
(表)
●反対側を同様に作る
②中表に二つ折りにして両脇を縫う
(表)
本体表布
(裏)
③まちを縫う
<裏袋>
本体裏布
(表)
口側
内ポケット
(表)
1
1
①内ポケットの両脇と底の縫い代に縁かがりミシンをかけ、縫い代を折る
③②を本体裏布の1枚に縫いつける
②ポケット口の縫い代を三つ折りにして縫う
本体表布
(裏)
④表に返し、タブを両脇に仮どめする
タブ
(表)
本体裏布(表)
返し口15
本体裏布
(裏)
④③ともう1枚の本体裏布を中表に合わせ、返し口を残して両脇と底を縫う
⑤まちを縫う
3 まとめます
①表袋と裏袋を中表に合わせて口側を縫う
(持ち手はよける)
表袋(裏)
裏袋(裏)
④口まわりにステッチをかける
②表に返して返し口をとじる
③持ち手の外側にステッチをかける
裏袋(表)
3
3
表袋
(表)
⑤持ち手の中央を外表に二つ折りにして縫う
ストラップ表布
ストラップ裏布
持ち手表布
持ち手裏布
裏袋
(表)
4
⑥ストラップのナスカンをタブのDカンにつける
25
[29]
12[4]
30[27]
表袋
(表)

30
32

p.30、32

30,32 一枚仕立ての2wayナイロンバッグ（大・小）

【材料】

30
リバティプリントナイロンリップストップ
140㎝幅×60㎝
ナイロンキャンバス　135㎝幅×1.2m
角カン　3.8㎝幅　1個
移動カン　3.8㎝幅　1個

32
リバティプリントナイロンリップストップ
140㎝幅×50㎝
ナイロンキャンバス　135㎝幅×90㎝
角カン　3㎝幅　1個
移動カン　3㎝幅　1個

裁ち方図

※数字の単位は㎝　※縫い代は指定以外２㎝
※[　]内は**32**、指定以外**30**・**32**共通
※★＝持ち手つけ位置　☆＝25.5[16]
◆＝タブつけ位置　◇＝肩ひもつけ位置

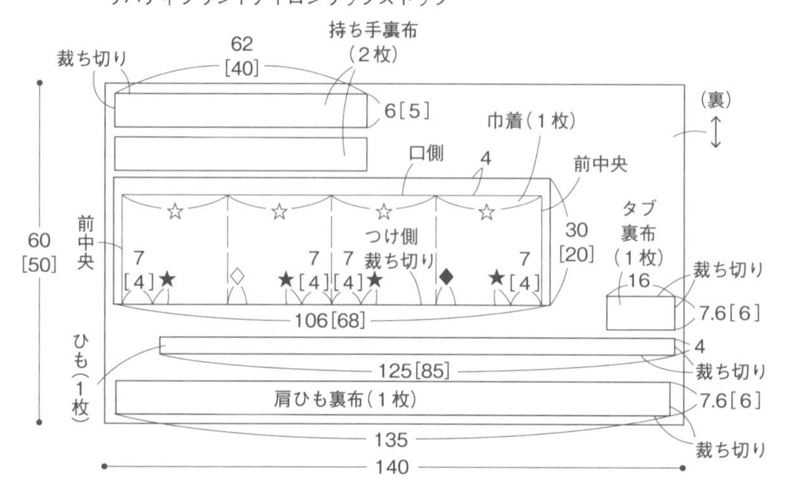
リバティプリントナイロンリップストップ
裁ち切り
62
[40]
持ち手裏布
（２枚）
6[5]
(裏)
巾着（１枚）
口側
4
前中央
前中央
60
[50]
7
[4]★
★[4]
7
7
[4]★
7
★[4]
つけ側
裁ち切り
30
[20]
タブ
裏布
（１枚）
16
裁ち切り
7.6[6]
106[68]
ひも（1枚）
4
125[85]
裁ち切り
肩ひも裏布（１枚）
7.6[6]
135
裁ち切り
140

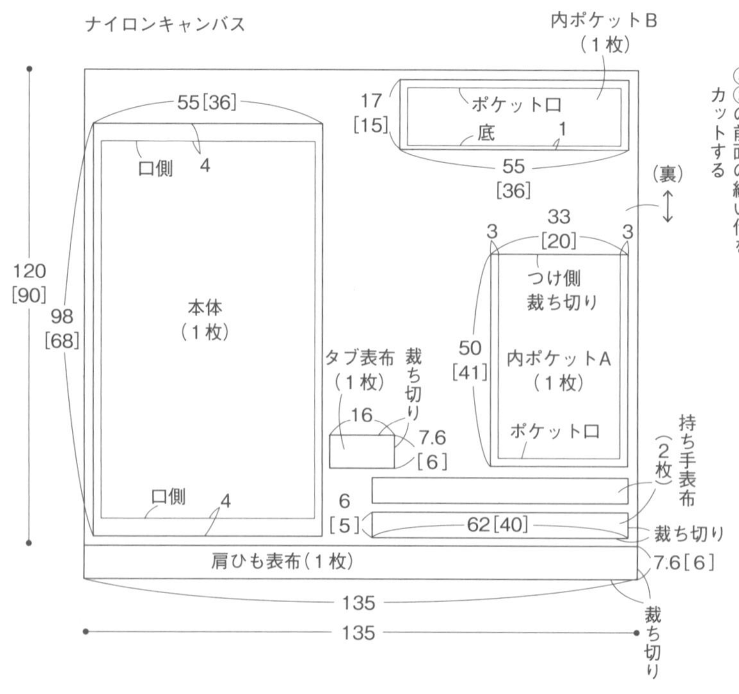
ナイロンキャンバス
内ポケットB
（１枚）
17
[15]
ポケット口
底
1
55
[36]
(裏)
55[36]
口側
4
120
[90]
98
[68]
本体
（１枚）
33
[20]
3
3
つけ側
裁ち切り
50
[41]
内ポケットA
（１枚）
ポケット口
タブ表布
（１枚）
裁ち切り
16
7.6
[6]
持ち手表布
（２枚）
口側
4
6
[5]
62[40]
裁ち切り
肩ひも表布（１枚）
7.6[6]
135
135
裁ち切り

作り方

1 各パーツを作ります

<タブ>

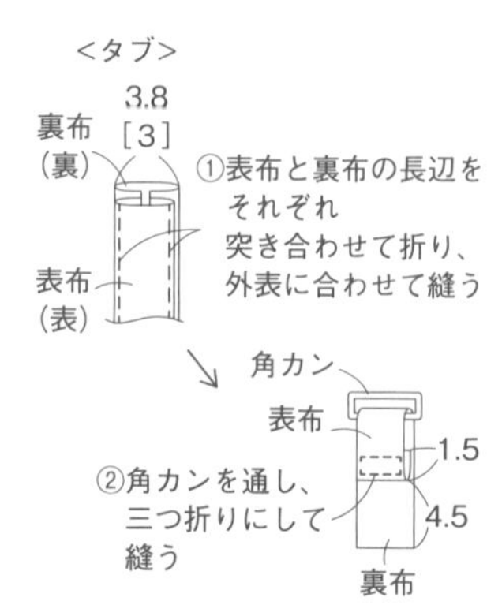
3.8
[3]
裏布
（裏）
①表布と裏布の長辺を
それぞれ
突き合わせて折り、
外表に合わせて縫う
表布
（表）
角カン
表布
1.5
②角カンを通し、
三つ折りにして
縫う
4.5
裏布

※持ち手と肩ひもは①と同様に作る
（持ち手は２本作る）

<内ポケットA>

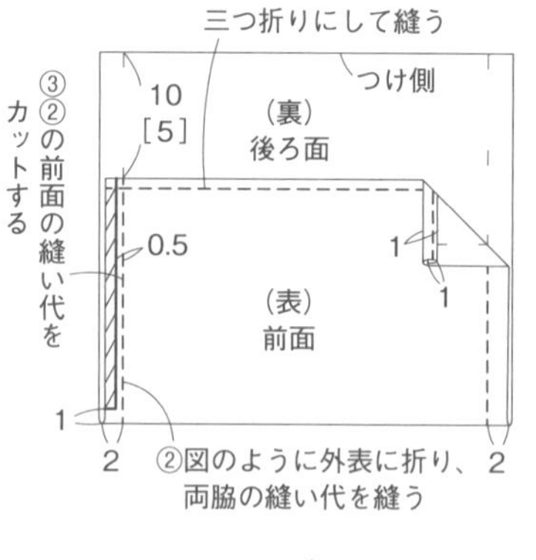
①ポケット口の縫い代を
三つ折りにして縫う
③②の前面の縫い代をカットする
10
[5]
つけ側
（裏）
後ろ面
0.5
1
1
（表）
前面
1
2
②図のように外表に折り、
両脇の縫い代を縫う
2

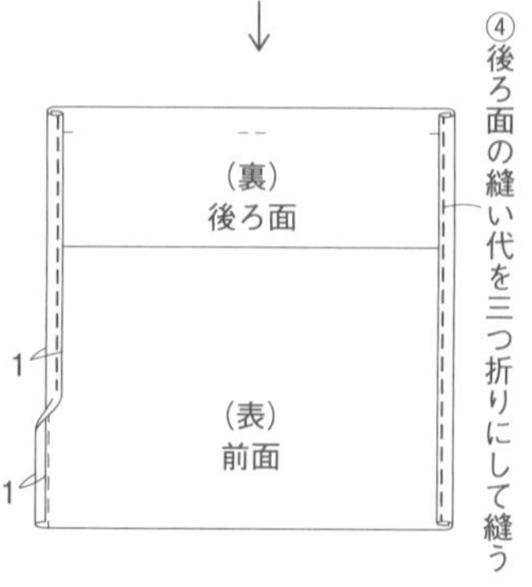
④後ろ面の縫い代を三つ折りにして縫う
（裏）
後ろ面
1
（表）
前面
1

2 巾着を作ります

3 本体を作り、まとめます

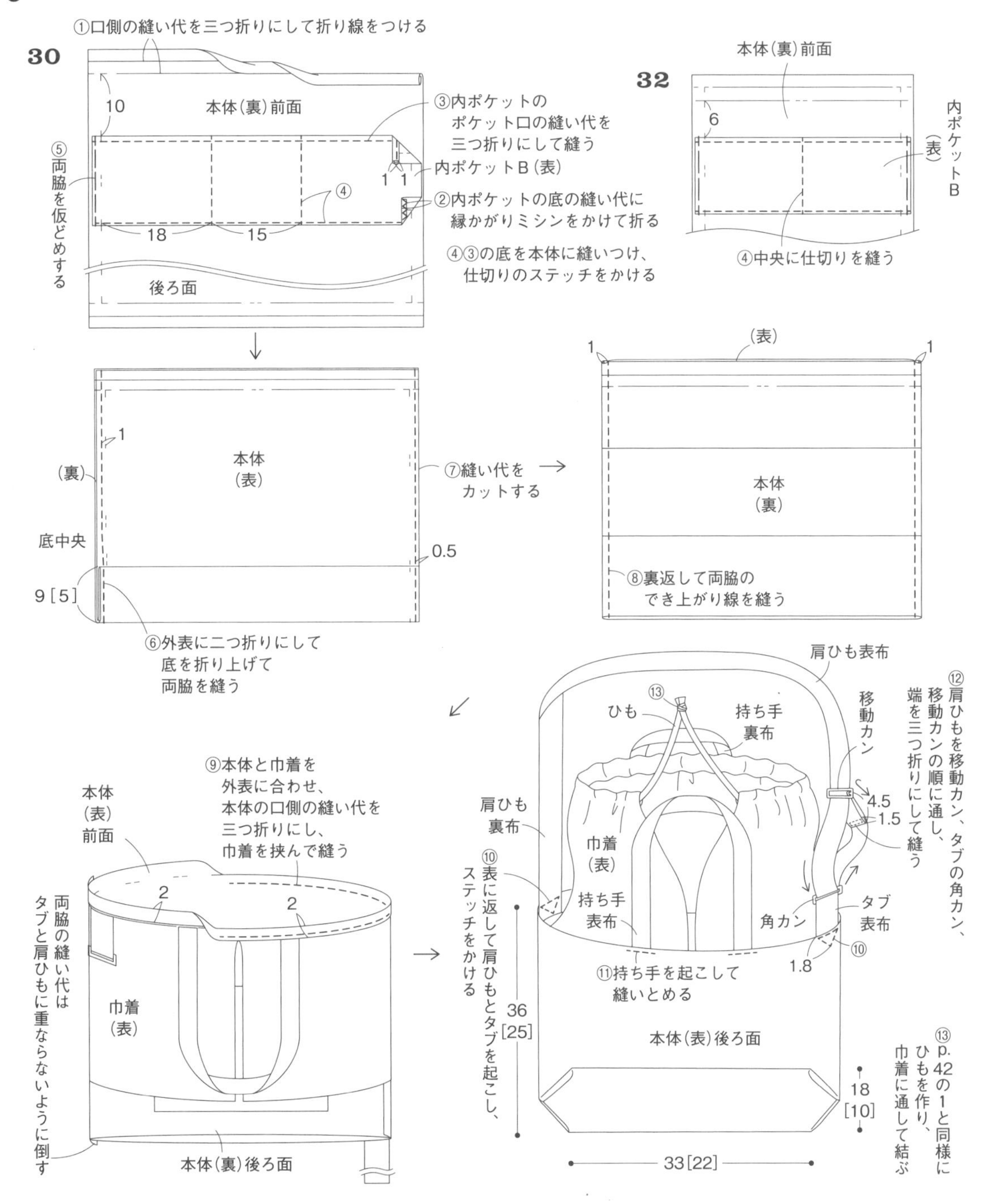

①中表に二つ折りにして
前中央のつけ側を縫う
②前中央の縫い代を
三つ折りにして縫う
（裏）
口側
（表）
③口側の縫い代を
三つ折りにして縫う
（表）
通し穴
④持ち手、タブ、肩ひも、内ポケットAを
つけ側に仮どめする
持ち手裏布
肩ひも
裏布
タブ
表布
持ち手
表布
巾着
（表）
内ポケットA前面
①口側の縫い代を三つ折りにして折り線をつける
30
本体（裏）前面
③内ポケットの
ポケット口の縫い代を
三つ折りにして縫う
内ポケットB（表）
②内ポケットの底の縫い代に
縁かがりミシンをかけて折る
④③の底を本体に縫いつけ、
仕切りのステッチをかける
⑤両脇を仮どめする
後ろ面
32
本体（裏）前面
内ポケットB
（表）
④中央に仕切りを縫う
本体
（表）
（裏）
底中央
9［5］
⑦縫い代を
カットする
⑥外表に二つ折りにして
底を折り上げて
両脇を縫う
本体
（裏）
⑧裏返して両脇の
でき上がり線を縫う
⑨本体と巾着を
外表に合わせ、
本体の口側の縫い代を
三つ折りにし、
巾着を挟んで縫う
本体
（表）
前面
両脇の縫い代は
タブと肩ひもに重ならないように倒す
巾着
（表）
本体（裏）後ろ面
肩ひも表布
ひも
持ち手
裏布
移動カン
⑫肩ひもを移動カン、タブの角カン、
移動カンの順に通し、
端を三つ折りにして縫う
肩ひも
裏布
⑩表に返して肩ひもとタブを起こし、
ステッチをかける
巾着
（表）
持ち手
表布
角カン
タブ
表布
⑪持ち手を起こして
縫いとめる
36
［25］
本体（表）後ろ面
18
［10］
33［22］
⑬p.42の1と同様に
ひもを作り、
巾着に通して結ぶ

p.31 31 ナイロン傘カバー(長傘用)

【材料】 リバティプリントナイロンリップストップ 30㎝四方
ナイロンキャンバス 135㎝幅×80㎝
タオル 60×80㎝
角カン 2㎝幅 1個
移動カン 2㎝幅 1個
プラスチック製スナップ 1.3㎝径2組

裁ち方図

※数字の単位は㎝ ※縫い代は指定以外1㎝

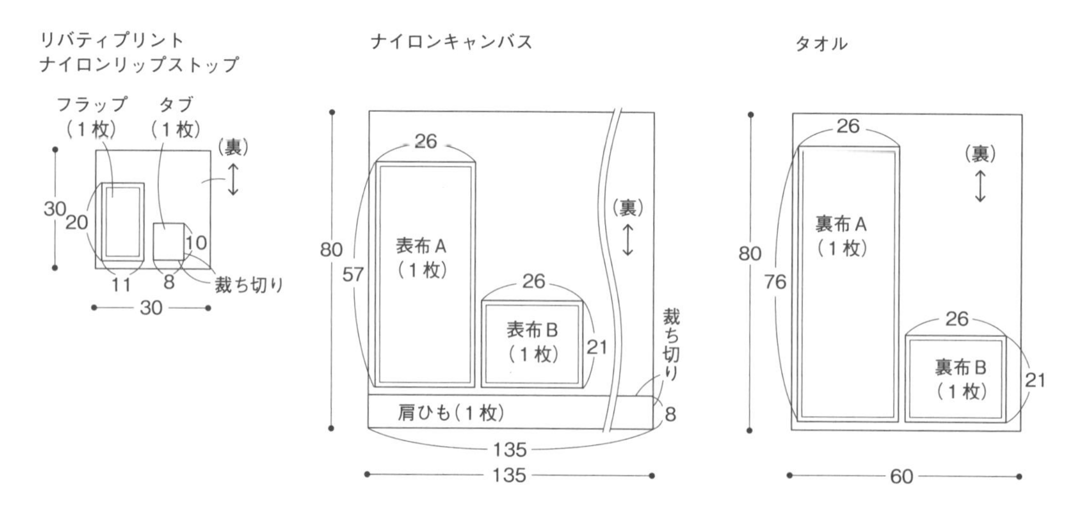

リバティプリント
ナイロンリップストップ
フラップ
(1枚)
タブ
(1枚)
(裏)
30
20
10
11
8
裁ち切り
30
ナイロンキャンバス
26
表布A
(1枚)
80
57
26
表布B
(1枚)
21
(裏)
裁ち切り
肩ひも(1枚)
8
135
135
タオル
26
裏布A
(1枚)
(裏)
80
76
26
裏布B
(1枚)
21
60

作り方

※[ ]内の数字は折りたたみ傘用(p.77)

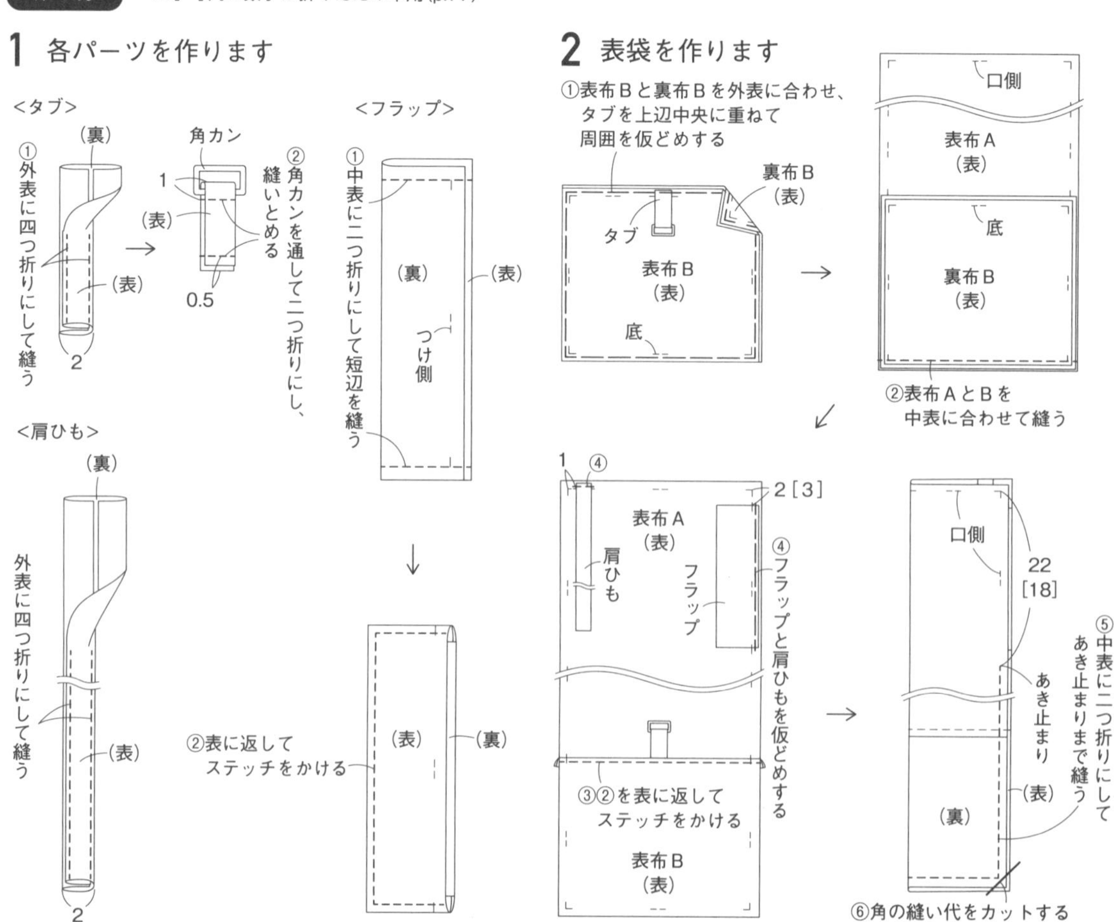

1 各パーツを作ります
<タブ>
①外表に四つ折りにして縫う
(裏)
(表)
2
角カン
1
(表)
0.5
②角カンを通して二つ折りにし、縫いとめる
<フラップ>
①中表に二つ折りにして短辺を縫う
(裏)
(表)
つけ側
②表に返してステッチをかける
(表)
(裏)
<肩ひも>
(裏)
外表に四つ折りにして縫う
(表)
2
2 表袋を作ります
①表布Bと裏布Bを外表に合わせ、タブを上辺中央に重ねて周囲を仮どめする
裏布B
(表)
タブ
表布B
(表)
底
口側
表布A
(表)
底
裏布B
(表)
②表布AとBを中表に合わせて縫う
1
④
2[3]
表布A
(表)
肩ひも
フラップ
④フラップと肩ひもを仮どめする
③②を表に返してステッチをかける
表布B
(表)
口側
22
[18]
あき止まり
⑤中表に二つ折りにしてあき止まりまで縫う
(表)
(裏)
⑥角の縫い代をカットする

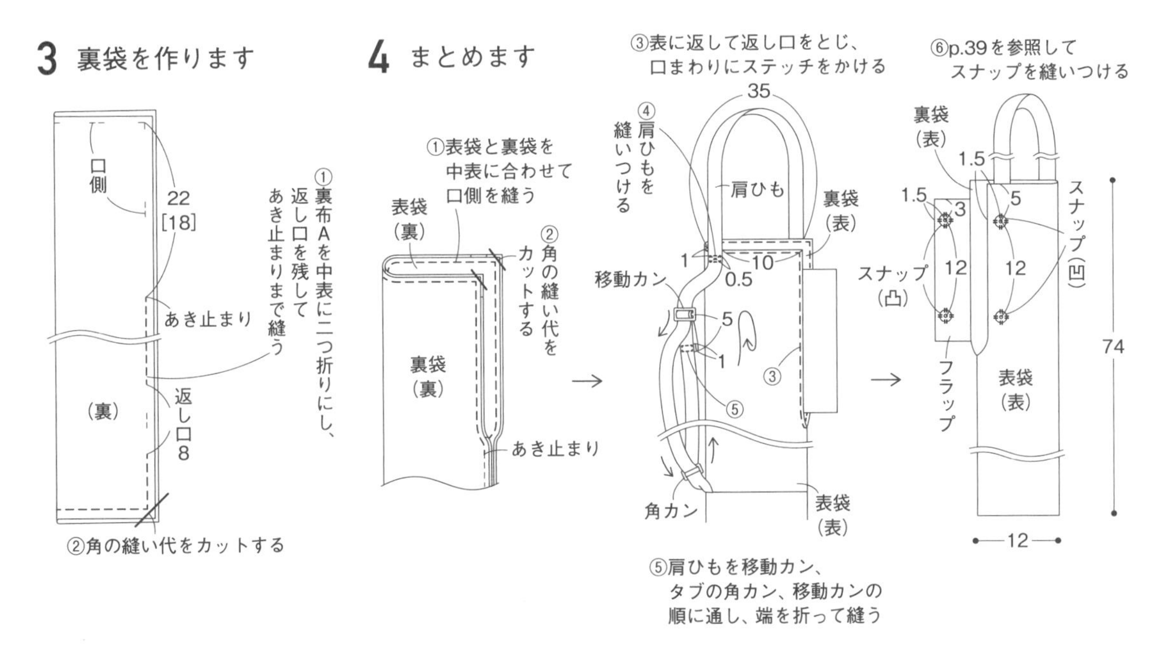
3 裏袋を作ります
口側
22
[18]
①裏布Aを中表に二つ折りにし、返し口を残してあき止まりまで縫う
あき止まり
（裏）
返し口8
②角の縫い代をカットする
4 まとめます
①表袋と裏袋を中表に合わせて口側を縫う
表袋
（裏）
②角の縫い代をカットする
裏袋
（裏）
あき止まり
③表に返して返し口をとじ、口まわりにステッチをかける
35
④肩ひもを縫いつける
肩ひも
裏袋
（表）
1
10
0.5
移動カン
5
1
③
⑤
角カン
表袋
（表）
⑤肩ひもを移動カン、タブの角カン、移動カンの順に通し、端を折って縫う
⑥p.39を参照してスナップを縫いつける
裏袋
（表）
1.5
1.5
3
5
スナップ（凹）
スナップ（凸）
12
12
74
フラップ
表袋
（表）
12

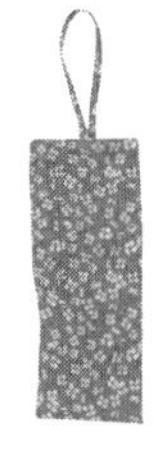

p.33 **33** ナイロン傘カバー（折りたたみ傘用）

【材料】 リバティプリントナイロンリップストップ　60×40㎝
タオル　30×40㎝
プラスチック製スナップ　1.3㎝径2組

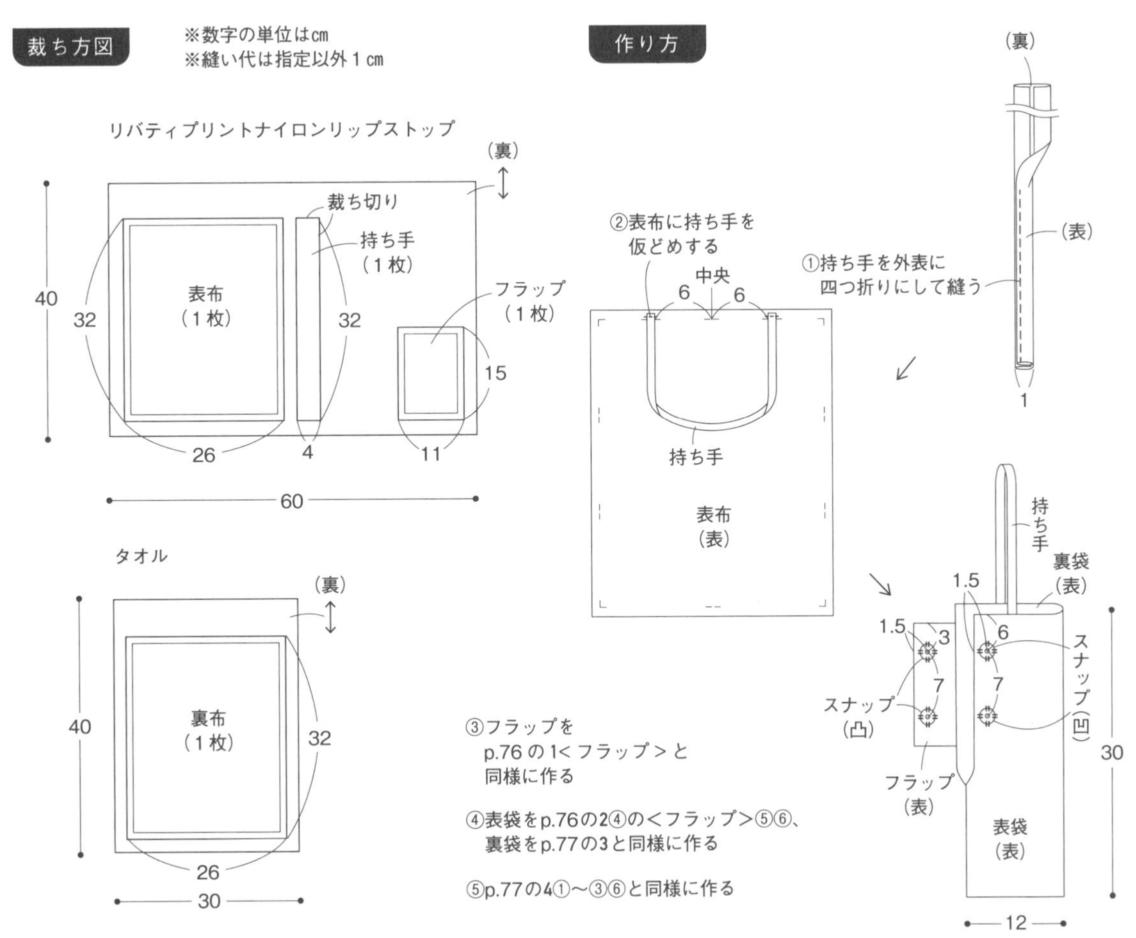
裁ち方図
※数字の単位は㎝
※縫い代は指定以外1㎝
リバティプリントナイロンリップストップ
（裏）
裁ち切り
持ち手
（1枚）
表布
（1枚）
フラップ
（1枚）
40
32
32
15
26
4
11
60
タオル
（裏）
裏布
（1枚）
40
32
26
30
作り方
（裏）
（表）
①持ち手を外表に四つ折りにして縫う
1
②表布に持ち手を仮どめする
中央
6
6
持ち手
表布
（表）
③フラップをp.76の1<フラップ>と同様に作る
④表袋をp.76の2④の<フラップ>⑤⑥、裏袋をp.77の3と同様に作る
⑤p.77の4①～③⑥と同様に作る
持ち手
裏袋
（表）
1.5
1.5
3
6
7
7
スナップ（凸）
スナップ（凹）
30
フラップ
（表）
表袋
（表）
12

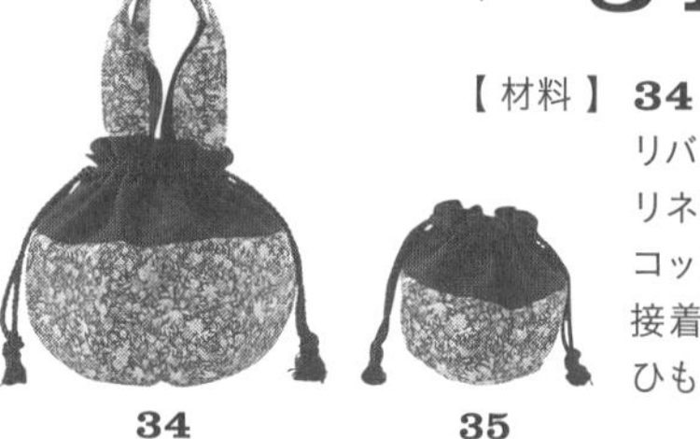
34
35

p.34
34,35 丸底のまんまる巾着バッグとポーチ

実物大型紙 B 面

【材料】

34
リバティプリント　110cm幅×30cm
リネン　110cm幅×45cm
コットン　70cm四方
接着芯　90×40cm
ひも　0.5cm径1.6m

35
リバティプリント　70×20cm
リネン　70×35cm
コットン　50cm四方
接着芯　60×40cm
ひも　0.5cm径1.2m

裁ち方図

※数字の単位はcm　※縫い代は指定以外1cm　※[　]内は**35**、指定以外は**34**・**35**共通
※□は接着芯を貼る　※口布裏布は表布と同寸に裁つ

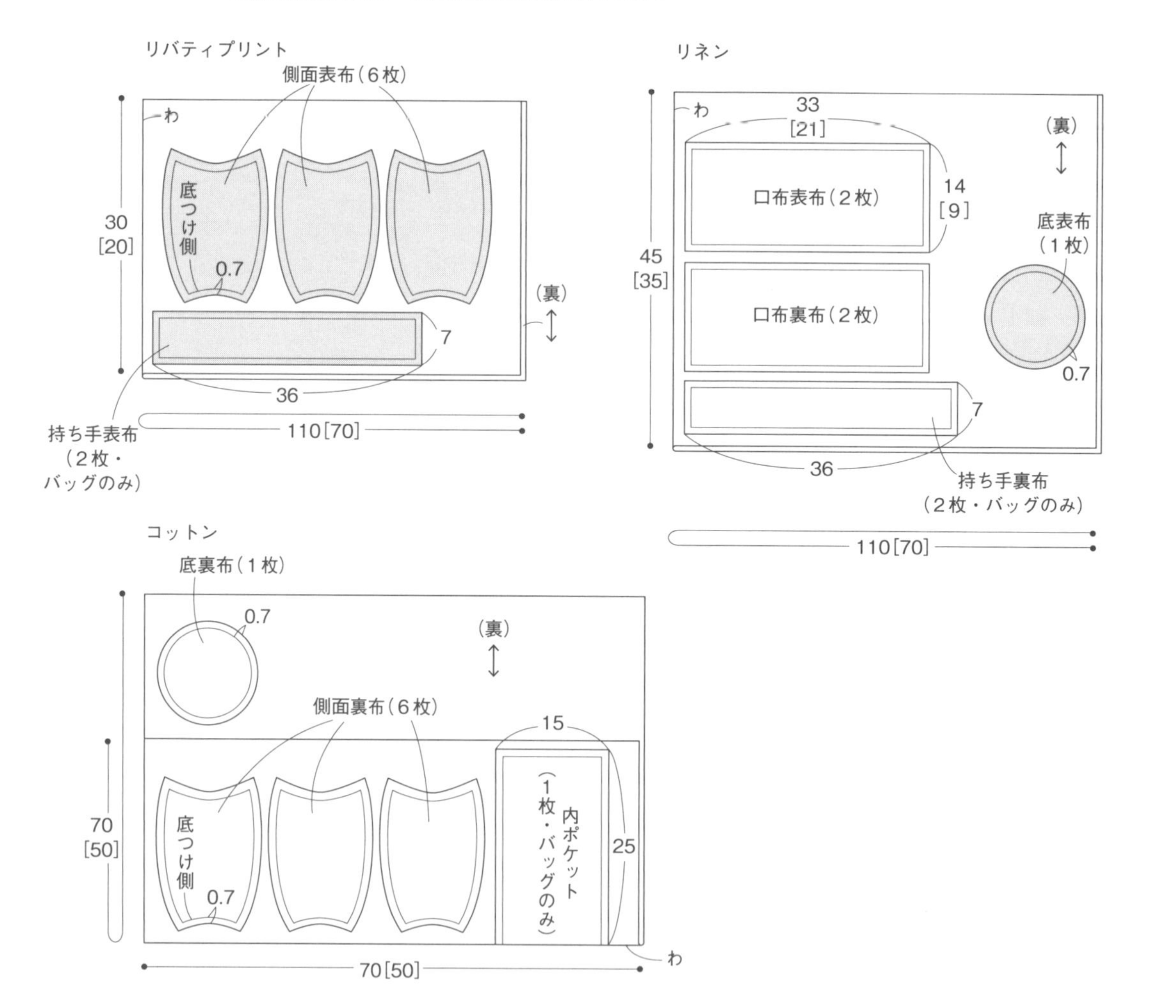
リバティプリント
側面表布(6枚)
わ
30
[20]
底つけ側
0.7
(裏)
7
36
持ち手表布
(2枚・
バッグのみ)
110[70]
リネン
わ
33
[21]
(裏)
口布表布(2枚)
14
[9]
底表布
(1枚)
45
[35]
口布裏布(2枚)
0.7
7
36
持ち手裏布
(2枚・バッグのみ)
110[70]
コットン
底裏布(1枚)
0.7
(裏)
側面裏布(6枚)
15
70
[50]
底つけ側
0.7
内ポケット
(1枚・バッグのみ)
25
わ
70[50]

作り方

1 各パーツを作ります

<持ち手>（バッグのみ）

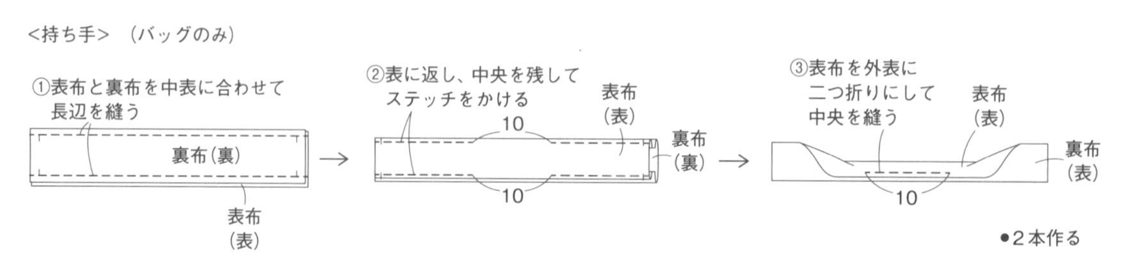
①表布と裏布を中表に合わせて
長辺を縫う
裏布(裏)
表布
(表)
②表に返し、中央を残して
ステッチをかける
10
表布
(表)
裏布
(裏)
10
③表布を外表に
二つ折りにして
中央を縫う
表布
(表)
裏布
(表)
10
●2本作る

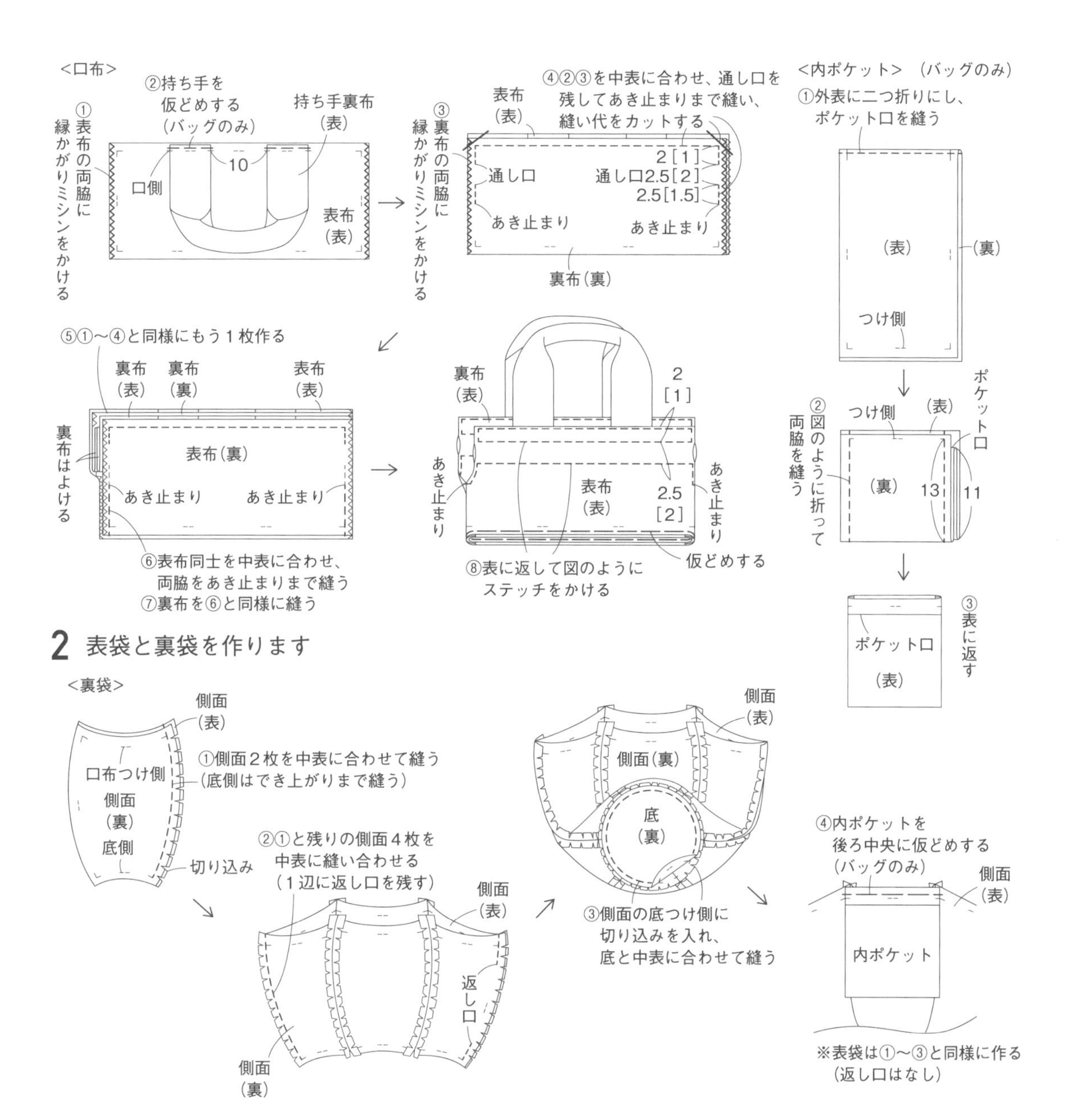

<口布>
①表布の両脇に縁かがりミシンをかける
②持ち手を仮どめする（バッグのみ）
10
口側
持ち手裏布（表）
表布（表）
③裏布の両脇に縁かがりミシンをかける
表布（表）
④②③を中表に合わせ、通し口を残してあき止まりまで縫い、縫い代をカットする
2［1］
通し口
通し口2.5［2］
2.5［1.5］
あき止まり
あき止まり
裏布（裏）
⑤①〜④と同様にもう１枚作る
裏布（表）
裏布（裏）
表布（表）
裏布はよける
表布（裏）
あき止まり
あき止まり
⑥表布同士を中表に合わせ、両脇をあき止まりまで縫う
⑦裏布を⑥と同様に縫う
裏布（表）
2［1］
あき止まり
表布（表）
2.5［2］
あき止まり
⑧表に返して図のようにステッチをかける
仮どめする
<内ポケット>（バッグのみ）
①外表に二つ折りにし、ポケット口を縫う
（表）
（裏）
つけ側
②図のように折って両脇を縫う
つけ側
（表）
ポケット口
（裏）
13
11
③表に返す
ポケット口
（表）

2 表袋と裏袋を作ります

<裏袋>
側面（表）
①側面２枚を中表に合わせて縫う（底側はでき上がりまで縫う）
口布つけ側
側面（裏）
底側
切り込み
②①と残りの側面４枚を中表に縫い合わせる（１辺に返し口を残す）
側面（表）
返し口
側面（裏）
側面（表）
側面（裏）
底（裏）
③側面の底つけ側に切り込みを入れ、底と中表に合わせて縫う
④内ポケットを後ろ中央に仮どめする（バッグのみ）
側面（表）
内ポケット
※表袋は①〜③と同様に作る（返し口はなし）

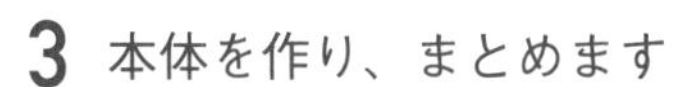

3 本体を作り、まとめます

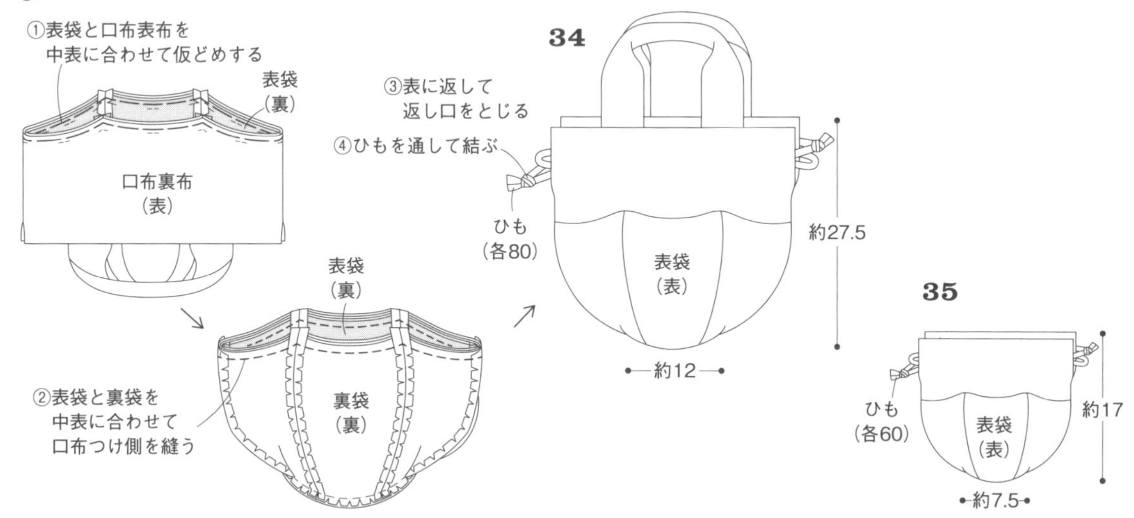

①表袋と口布表布を中表に合わせて仮どめする
表袋（裏）
口布裏布（表）
表袋（裏）
②表袋と裏袋を中表に合わせて口布つけ側を縫う
裏袋（裏）
③表に返して返し口をとじる
④ひもを通して結ぶ
34
ひも（各80）
表袋（表）
約27.5
約12
35
ひも（各60）
表袋（表）
約17
約7.5

PROFILE

yasumin（山本靖美）

布もの作家。リバティプリントやリネンを使った、シンプルで使い勝手のよいポーチやバッグが人気。YouTubeでは縫い方のコツや布合わせについても紹介している。著書に「商用OK! これ作ったの?と言われる布こもの」（主婦と生活社）がある。自身のオンラインショップでは、おうちで好きな時間に楽しく学べる『裁断済みキット＋音声付き動画』を定期的に販売している。

Instagram　@yasuminsmini
YouTube　布もの作家yasumin @yasumin
オンラインショップ　https://yasumin.stores.jp/

商用OK! どっちも作って2倍楽しい!

おそろい布こもの

著　者　yasumin
編集人　石田由美
発行人　殿塚郁夫
発行所　株式会社主婦と生活社
〒104-8357　東京都中央区京橋3-5-7
編集部　☎03-3563-5361　Fax.03-3563-0528
販売部　☎03-3563-5121
生産部　☎03-3563-5125
https://www.shufu.co.jp/
製版所　東京カラーフォト・プロセス株式会社
印刷所　TOPPAN株式会社
製本所　共同製本株式会社

ISBN978-4-391-16158-8

STAFF

ブックデザイン　葉田いづみ
撮影　清水奈緒
プロセス撮影　有馬貴子（本社写真編集室）
スタイリング　伊東朋恵
モデル　ニヴェア ヘイズ（Sugar&Spice）
型紙・作り方解説　吉田 彩
作り方トレース　白井麻衣
校閲　滄流社
編集　小柳良子

〈 生地提供 〉
鎌倉スワニー　https://www.swany.jp/
○カラーリネン 広幅 Emma
P3　**1**（33）オレンジ、**2**（38）ターコイズブルー
P4　**3**（37）ヒスイ、**4**（31）ナデシコピンク
P8　**7**（38）ターコイズブルー、**8**（33）オレンジ
P16　**14, 15**（6）グレージュ
P18　**16, 17**（18）トパーズイエロー
P20　**18**（25）レモンカスタード、**19**（32）フューシャピンク
P34、35　**34, 35**（4）ブラック
○コットンリネン ライトキャンバス Colors
P6　**5**（16）ティールグリーン、**6**（1）エクリュ
P12　**10**（23）グレイッシュパープル、**11**（8）ピーコック
P14　**12**（16）ティールグリーン、**13**（1）エクリュ
○広幅コットンリネン Chloe
P20　**18**（11）セージグリーン、**19**（8）スティールグレイ
P24　**22, 23**（6）サンドベージュ
P26　**24, 25**（8）スティールグレイ
○コットン ウォッシュ加工 11号ハンプ
P28　**26, 28**（5）Ink Blue
P29　**27, 29**（1）Beige
○Silkyブロード Tammy
P3　**1**（5）サクラ、**2**（19）サンドベージュ
P10　**9**（5）サクラ、（7）ルビーレッド、（10）グレイッシュリラ、（11）シトロン、（14）セラドングリーン、（24）ヒヤシンス
P16　**14, 15**（7）ルビーレッド
P18　**16, 17**（17）ムーンライトブルーグリーン
P24　**22, 23**（35）ツユクサ
○ヴィンテージ・タンブラー加工 シルキー・コットン Felicia
P22　**20, 21**（5）ペールオーキッド
P28　**26**（3）シャモアベージュ、（11）チャコール
P29　**27**（3）シャモアベージュ、（10）シナモンブラウン
P34、35　**34, 35**（5）ペールオーキッド
○ナイロンキャンバス 弱撥水加工 Elaine
P30、31　**30, 31**（9）アイビーグレイ
P32、33　**32, 33**（1）トマトレッド

〈 編集協力 〉
株式会社リバティジャパン　https://www.liberty-japan.co.jp/

〈 撮影協力 〉
AWABEES　UTUWA

〈 衣装協力 〉
pot and tea
potandtea.katalok.ooo
表紙、P12、13　パンツ
P24、34、35　ブルーシャツワンピース
P26、27、30　ドットワンピース
P32　プルオーバー、スカート

I AM CLUMSY
iamclumsy.base.shop
表紙、P12、13　Tシャツ